文化と
まちづくり
叢書

文化事業の評価
ハンドブック SAL BOOKS ③

新たな価値を社会にひらく

文化庁×九州大学 共同研究チーム

水曜社

はじめに

　評価というと、面接評価、人事評価など、評価される側の気持ちや意図とは関係なく、立場の上の人が一方的に判定をくだすというイメージがあるかもしれません。しかし、公的な補助金や助成金、委託事業などを評価するのは、特定の個人ではなく、公を構成する多様な市民のはずです。この本では、この民主主義の原点に立ち返りながら、社会に向きあう文化事業の評価を考えることにしました。

　そもそも英語の"evaluation"（評価）は元来「価値を引き出す」という意味で、価値を発見することに重点がおかれています。評価は、事後的に良し悪しを決めるだけのものではなく、より良い未来を築くために実施されるべきものです。実際、文化事業の評価には、行政などの資金提供者が意図した効果が十分あったかどうかを判定する評価（査定）がある一方で、事業が展開していく中で実施内容を調整・改善していく形成的な評価や、事業終了後に今後の改善のために実施する評価もあります。

　とはいえ、「評価」に抵抗感のある人は少なくないでしょう。アメリカの歴史学者、ジェリー・Z・ミュラーは、評価の弊害について次のように記しています。

　　　世の中には、測定できるものがある。測定するに値するものもある。
　　　だが測定できるものが必ずしも測定に値するものだとは限らない。
　　　測定のコストは、そのメリットよりも大きくなるかもしれない。測定され
　　　るものは、実際に知りたいこととはなんの関係もないかもしれない。
　　　本当に注力するべきことから労力を奪ってしまうかもしれない。そして
　　　測定は、ゆがんだ知識を提供するかもしれない―確実に見えるが、
　　　実際には不正な知識を。（『測りすぎ』みすず書房、2019 年、4 頁）

　しかし、ミュラーは評価を全否定するのではなく、「問題は測定ではなく、過剰な測定や不適切な測定だ。測定基準ではなく、測定基準への執着なのだ。」と記します（同5頁）。測定基準が問題なのではなく、「測定基準への執着」が問題なのだという指摘は、文化事業の評価にもあてはまります。

一般的な評価のテキストでは、最初に事業の目的・目標を定め、それらが達成されたかどうかをチェックする道筋が書かれています。手軽な料理のレシピや組み立て家具のマニュアルのように、説明された手順に従っていきさえすれば、うまくできるかのような印象を受けます。しかし文化事業では、長期的な目的は変わらなくても、短期的な目標が途中で変更されることがあります。また、最初に目標を設定すること自体が難しい場合も少なくありません。これらのケースでは、事業の企画運営と評価を切り離さず、相互に行ったり来たりしながら進めていくことが大切になってきます。

　この本は、2018年1月から2021年3月にかけて九州大学が実施した「文化庁と大学・研究機関等との共同研究事業─文化芸術による社会包摂の在り方」の成果をまとめたものです。文化庁と九州大学の共同研究チームは、国内外の政策や先行事例などの調査、行政・中間支援組織・芸術団体・アーティスト・専門家などへのインタビュー、公開研究会やシンポジウムを実施しながら、何度も議論を重ねました。2018〜2020年度末に刊行した3冊のハンドブックと2019年度に実施したシンポジウムの報告をまとめたのが、この本です。

　今回の書籍化にあたっては、社会に向きあう文化事業の評価を、社会包摂を例に考えるという形を取りました。事例の多くは社会包摂に関するものですが、地域再生やコミュニティケアなどにも十分応用できる内容になっています。次ページの「この本の構成」を参考に、興味のあるところから読み進めていってください。

文化庁×九州大学 共同研究チーム 研究代表者
九州大学大学院芸術工学研究院 准教授
中村　美亜

この本の構成

この本は、社会に向きあう文化事業の評価について、「社会包摂」を例にしながら考えていきます。興味のあるところから読んでみましょう。

第1部 導入編
文化事業 × 社会包摂
社会と芸術活動がどう結びつくかを「社会包摂」を例に考えてみましょう。

社会包摂について
詳しく知りたい！

文化事業って
そもそもわからない！

第2部 基礎編
社会に向き合う文化事業の評価
査定ではない、価値を引き出す評価の基本を学びましょう。

何をどう評価すれば
いいのかなぁ

文化事業を
評価するって
難しそう・・・

第3部 シンポジウム編
現場の評価と行政の評価

事業の実施現場の評価と行政の評価はどうすればつながるのでしょうか。シンポジウムの議論を通して考えてみましょう。

評価はまだピンとこないなぁ…

評価の今の状況を理解したいな

第4部 実践編
価値を引き出す評価

評価の具体的な進め方を学びましょう。組織内外の対話に使えるワークシートもついています。

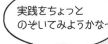

時間がないからここだけ読んでやってみよう

基本はバッチリ！いよいよ実践

実践をちょっとのぞいてみようかな〜

INDEX

UD FONT

このハンドブックは、ユニバーサルデザイン（UD）の考え方に基づき、
より多くの人に見やすく読みまちがえにくいデザインの文字を採用しています。

1 導入編

文化事業 × 社会包摂

第1部 導入編
文化事業 × 社会包摂

第1部では、文化事業の評価をする前に、まず社会に向きあう文化
事業とは何かについて、「社会包摂」を例に考えてみましょう。
以下の4つの観点からアプローチしていきます。

1-1 社会包摂につながる芸術活動とは　　P.11〜

概論

文化と芸術、社会包摂について理解を深めます。
そして、両者を結びつける具体的な実践方法を探ります。

1-2 活動から生まれること　　P.29〜

事例からのヒント

多様な人々が関わる芸術活動ではどのようなことが起こ
り、何が活動の成果として期待できるのかを、「創造」「発
表」「鑑賞」「交流」「人材育成」のキーワードを手がかりに
考えてみます。

1-3 取り組みの紹介　　P.39〜

ケーススタディ

全国各地のユニークな9つの取り組みを紹介しています。
どのような人たちが関わり、どんなアプローチを行ってい
るのか。取り組みからさまざまな情景やヒントが見えるか
もしれません。

1-4 行政と現場のコミュニケーション　　P.51〜

対話のコツ

お互いの立場や文化事業に関わる意識の違いを理解す
ることで、事業促進に不可欠な、行政と現場のコミュニ
ケーションを円滑にするためのヒントを一緒に探ってい
きましょう。

1-1 社会包摂につながる芸術活動とは

社会包摂とは、社会的に弱い立場におかれている人たちを排除するのではなく、包摂する社会を築いていこうという考え方です。しかし、この意味を知っていたとしても、社会包摂と芸術を結びつけるのは容易ではないでしょう。ここでは、芸術や文化、社会包摂の意味を深く理解することから、両者を結びつける具体的な実践方法を探っていきます。

① 芸術に対する２つの見方

今日、私たちは芸術に対して２つの見方を持っています。１つは、技能を身につけた芸術の専門家が、自分の内面と向きあいながら芸術を生み出すという見方です。これはプロの芸術家や芸術大学に関わりの深い芸術観で、芸術家の技術や生き様が作品に結晶化されることに主眼があります。つまり、芸術のモノとしての側面を強調する立場です。

もう１つは、芸術はプロの芸術家だけのものではないという見方です。技を用い、工夫をしながら何かを生み出し、そのことで世界の見え方や関係性に変化を及ぼすことは、芸術の専門家に限らず、誰にでもできることだからです。またこの見方では、芸術が指し示す範囲も作品に限定しません。作品が生み出されるまでには、さまざまな人との関わりや試行錯誤のプロセスがありますし、完成後も、作品は展示・上演などの出来事を通じて多くの人と関わっていくからです。これはアートプロジェクトや障害のある人の芸術などに関わりの深い芸術観で、作品とともに、活動全般や波及効果も重視するのが特徴です。つまり、コトとしての側面を強調する立場です。

芸術の歴史において、これら２つの見方がはっきり分かれたのは、近代になってからのことです。日本でもヨーロッパでも、芸術は長い間、宗教や祭り、日常の生活の中でコトとして存在してきました。ところが19世紀のヨーロッパで感受性や主観を尊ぶロマン主義の運動が盛んになると、芸術のモノとしての側面が強調されるようになり、「芸術のための芸術」という思想が生まれました。こうした考え方は、明治以降、日本にも広く浸透していきました。しかし20世紀半ばになると、再びコトとしての芸術にも関心が集まるようになります。

　このように芸術には、モノとしての側面を強調する見方と、コトとしての側面を強調する見方がありますが、**このハンドブックがフォーカスするのは、芸術のコトとしての側面であり、生きる叡智としての表現活動です。**

モノとしての芸術
芸術のための芸術

作品

コトとしての芸術
生きるための表現

作品を生み出す
プロセス

② 文化政策の歴史

　ここでは、日本における文化と政策の歴史を概観しながら、**第2次世界大戦後の文化政策が、2011年頃に大きく転換したこと**を見ていきたいと思います。戦後の日本は、戦時期の反省から芸術を「モノとして」扱っていましたが、近年は、芸術を「コトとして」とらえ直そうとしています。

　明治に入って近代国家の建設を急ぐ日本は、脱亜入欧、富国強兵といった政策の中で、文化においても西欧化の道を邁進（まいしん）しました。軍楽隊の創設や鹿鳴館の舞踏会は、その一環でした。戦争の時代になると、戦意高揚、国威発揚の目的で、戦争画が描かれ、軍歌が作られ、戦争を讃える映画が制作されていきます。あらゆる文化活動が、戦争に総動員されたのです。

　しかし、第2次世界大戦後、戦時中の文化政策への反省から、文化は社会から切り離して存在させるべきだという考え方が広がります。この時代、文化は教育の中で、平和や心の豊かさを実現するものとして奨励されました。高度成長時代になると、経済偏重の社会で人間性を回復する手段として、文化が位置づけられるようになります。

　バブル崩壊後、各地に数多く建設された文化施設をどう活用するかが大きな問題になりました。いわゆる「ハコモノ行政」の後始末です。日本の文化行政の方針がはじめて示されたのは、2001年の〈文化芸術振興基本法〉の制定でした。

　しかしこの法律では、戦後に広まった文化の考え方、つまり政治や社会の動向とは関係なく、心の豊かさを希求する手段としての文化という位置づけからの変更はありませんでした。

　文化に対する考え方が大きく変化しはじめたのは、2011年、東日本大震災が起きる約1ヶ月前に閣議決定された〈文化芸術の振興に関する基本的な方針（第3次）〉でした。この方針で、文化は次のように位置づけられます。

　　従来、社会的費用として捉える向きもあった文化芸術への公的支援に関する考え方を転換し、社会的必要性に基づく戦略的な投資と捉え直す。そして、成熟社会における新たな成長分野として潜在力を喚起するとともに、社会関係資本の増大を図る観点から、公共政策としての位置付けを明確化する。

　それまで社会とは一線を画すものとされていた文化、したがって支出としてしか計上されなかった文化を、社会的基盤を築くために必要な成長分野の1つと位置づけたのです。

　また、この基本方針には、次のような記述もあります。

　　文化芸術は、子ども・若者や、高齢者、障害者、失業者、在留外国人等にも社会参加の機会をひらく社会的基盤となり得るものであり、昨今、そのような社会包摂の機能も注目されつつある。

　このように、個人の心の豊かさのためのものとされていた戦後の文化に対する考え方は、社会包摂という社会のためのものへと広がりを見せはじめたのです。

　こうした新しい文化に対する考え方は、その後の〈劇場、音楽堂等の活性化に関する法律〉（2012年）や〈文化芸術の振興に関する基本的な方針（第4次）〉（2015年）、そして文化芸術振興基本法の改正による〈文化芸術基本法〉（2017年）の成立とそれに基づく〈文化芸術推進基本計画〉（2018年）にも受け継がれました。

文化に関する政策の変遷（本文に登場した事項のマッピング）

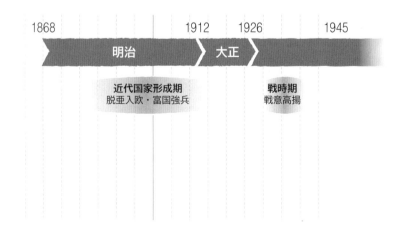

　このような文化のとらえ方には、「道具化」という批判があります。文化は何か他のものの手段ではなく、文化の活動そのものを目的とすべきであり、文化には文化自身の本質的価値があるという批判です。もちろん文化政策は個人の思想への介入や、芸術の社会批評的な表現の阻害をすべきではありません。

　しかし、これまで見てきたように、芸術が政治から無縁ではいられないというのも紛れもない事実です。では、芸術を社会的基盤を築くものとして活用しつつ、「道具化」のわなに陥らないようにするにはどうしたらいいのでしょうか。次では、文化と芸術の関係をとらえ直しながら、文化政策の役割を再考していきましょう。

❸ 文化政策の役割

　文化や芸術という言葉は、人によって理解が大きく異なります。文化を「生活に関わる素人のもの」、芸術を「専門家による質の高いもの」と考える人もいるかもしれません。しかし、文化政策の役割を考えるには、これらの言葉を社会的な役割や機能という観点でとらえ直す必要があります。ここでは、文化や芸術の意味を掘り下げて理解することから、文化政策の役割を再考してみたいと思います。

　文化は一般に、人々に共有の行動様式や生活様式と定義されます。しかし、共有の行動様式や生活様式とは何かをさらに考えていくと、文化は、何が大切にされているか、何より何の方が大事にされているかという一連の暗黙の了解事項ということがわかります。つまり、文化は価値に関する秩序や体系を意味しているのです。文化が違うと相手の行動や考え方を理解することが難しくなりますが、それは大切にしているものや物事の優先順位が違うからと言えます。

　では、芸術はどうでしょう。芸術とは何かを定義することは困難ですが、芸術がどのような社会的役割を持っているかを説明することは可能です。価値という言葉を使うなら、芸術は文化というリソースを用いながら、これまで顕在化されていなかった価値の存在を人々に問いかけるものと言うことができます。それまで大切だとは思われていなかったものや事柄を提示し、「ここに大事な価値があるから見てください」と人々に呼びかけるということです。今日の社会では、物事の価値は主に貨幣によって決定されます。しかし世の中には、貨幣価値とは異なる価値もたくさん存在しています。芸術には、ふだん見過ごされている価値を掘り起こしたり、自分が大切にしている価値をほかの人と共有したりするという重要な役割があるのです。

　このように文化と芸術をとらえるなら、両者は土壌と植物の関係にあると見なすことができるでしょう。文化は芸術を生み出し、育てる土壌です。芸術は文化を土台に成長し、種を産み落とし、やがて自らが枯れて肥やしになりながら土壌を豊かにしていきます。文化と芸術は循環の関係にあるのです。そうだとすれば、**文化政策の役割は、人々や社会にとって大切なものとは何かを問う芸術活動を支援することで、多様で持続可能な社会に必要な文化の土壌を醸成していくことだ**と言うことができるでしょう。

文化と芸術は循環しあうもの

芸術（植物）

文化（土壌）

ㄐ 文化と社会包摂

　近年、社会包摂（もしくは社会的包摂）という言葉が文化政策で注目されるようになりました。社会包摂とは、社会的に弱い立場に置かれている人たちを排除するのではなく、包摂する社会を築いていこうという考え方です。1990年代にヨーロッパで、「社会的排除」の対になる概念として生まれました。

　ヨーロッパでは、1970年代にノーマライゼーションという言葉が広まりました。ノーマライゼーションとは、それまで社会から排除されていた障害のある人たちが、障害の有無で区別されることなく、社会生活を送れるようになることを目指すという考え方です。しかし、理念的には、障害のある人を一般の人と同等に扱うことは正しくても、実際に、障害のある人に一般の人と同じことを求めようとすると、いろいろ問題が起きてきます。

　そこで登場したのが社会包摂です。障害のある人を無理に一般の基準にあてはめるのではなく、**違いのある人たちを、違いを尊重したまま受け入れる社会を目指そう**という考え方です。社会包摂の対象には、障害のある人だけではなく、貧困を抱える人、移民・外国人、高齢者、LGBT、病気を抱える人、災害の被災者など、さまざまなマイノリティの人たちが含まれます。

　日本では2000年に厚生労働省で取り上げられ、文化庁でも、2011年の〈文化芸術の振興に関する基本的な方針（第3次）〉ではじめて言及され、施策が講じられるようになりました。

マイノリティが
排除される社会

マジョリティ社会への
マイノリティの包摂

1人ひとりの多様性
を包摂する社会

　こうした背景には、これまで排除されていたマイノリティの人たちが、
表現活動を通してエンパワメントされた（自信を獲得し、能力を発揮
できるようになった）事例や、多様な人たちがともに創造活動を行う
ことで、相互の関係が深まる事例が数多く報告されるようになったこ
とがあります。

　しかし日本の現状を見ると、社会包摂を単純に社会参加と読み替
えただけの取り組みも少なくありません。マイノリティの人たちに表現
の機会を提供することで満足する、あるいは、マジョリティの活動に
マイノリティが加われるようにしただけで目的が達成されたと勘違い
することがあるようです。これでは、マイノリティの人たちがエンパワ
メントされることも、多様な人たち同士の相互関係が深まることも
期待できそうにありません。

⑤ 社会包摂の翻訳

　社会包摂につながる芸術活動とは何かを考えるためには、まず社会包摂という言葉を翻訳する必要があります。社会包摂というのは一般に、社会的に弱い立場にいる人が社会から排除されたり、孤立したりするのでなく、共に支えあう社会を作るという意味と言われています。しかしこれは理想的な社会のあり方を指すビジョン（未来像）なので、具体的な目的を表す言葉に翻訳しなくてはなりません。

　社会包摂は、関係性を表す言葉に翻訳すると、多様な人たちが、違いを認めあう関係を築くという意味になります。さらにこれを、個人の変化を表す言葉に翻訳すると、社会的に弱い立場の人がエンパワメントされる（自己肯定感や自己効力感が高まる）となるでしょう。ただし、弱い立場の人たちだけが変わっても、大多数の人が変わらなければ、社会全体は変化しません。マジョリティの人たちも、マイノリティの人たちがどのように感じているかを考える、あるいは、どうして同じ人間がマイノリティとマジョリティに分けられるのかを理解することも重要になります。

　つまり社会包摂につながる芸術活動を実施したいならば、**多様な人たちが違いを認めあう関係を築くことができるように、マイノリティの人たちがエンパワメントされ、マジョリティの人たちの意識が変化する**という目的を設定しなければならないということです。

社会包摂

ビジョン（未来像）

社会的に弱い立場にいる人が社会から排除されたり、
孤立したりするのでなく、ともに支えあう社会をつくる

関係性を表す言葉にすると…

多様な人たちが、違いを認めあう関係を築く

個人の変化を表す言葉にすると…

マイノリティの人たちがエンパワメントされ、
マジョリティの人たちの意識が変化する

❻ 社会包摂につながる芸術活動

　では、どうすればこのような目的を達成することができるでしょうか。**大切なのは、どちらか一方が優位になる関係をつくらないことです。**マイノリティがマジョリティの活動に参加できるようにすることは大切ですが、マジョリティを基準にしている限り、マイノリティはその中で疎外され続けます。異なる立場の人たちが協働して何かをするのであれば、どういうやり方がよいかをしっかり考えることが重要になってきます。

　一番簡単なのは、**①両者が直接に対話をする機会をつくること**です。マイノリティが排除されがちなのは、マジョリティがマイノリティを直接知らないことが一番の原因とされています。対話をする機会ができれば、相互の考え方に変化が生じます。もしマイノリティとマジョリティが一緒に話しあうことで、実施方法を見つけることができれば、最善の結果を導くことが可能になるでしょう。しかし、対話が難しいのであれば、一緒に何かをつくったり、表現したりするだけでもいいでしょう。1つの体験を共有することこそが、両者の関係性に変化を及ぼすのです。

　もう1つ重要なのは、**②目的達成のためには、計画変更をいとわないこと**です。前述のように、目的は「多様な人たちが違いを認めあう関係を築くことができるように、マイノリティの人たちがエンパワメントされ、マジョリティの人たちがマイノリティについての理解を深める」ことです。それを達成するために、どのような創造活動をするとよいのかを臨機応変に考えていくことが肝心です。

　活動をはじめると、少しでも「見栄えのいい」作品に仕上げることが優先されがちですが、それだけでは意味がありません。「参加している多様な人たちが、生き生きとしていられるのはどういうときか？」「一方だけでなく、双方の人たちが生き生きして取り組むことができるようにするためには、どのような工夫が必要か？」―これを考えることが、活動においてもっとも創造性が要求される点です。

　それに関連して、③展示や上演のやり方を工夫することも重要です。私たちは自分が持っている認識のフィルターを通してでしか、ものを見ることはできません。もし鑑賞者にふだんとは違うフィルターを通して見てもらいたいのであれば、そのように見ることができる仕掛けをつくることが必要になります。そうした展示・上演の方法を見つけることが、鑑賞機会をつくる際にもっとも重要な作業となります。**展示や上演の機会をつくること、それ自体が1つの「表現」なのです。**伝統や慣習にとらわれない、新しい展示・上演の方法を生み出すことが、社会包摂の門戸を開きます。

❼ 価値創造を通じた課題解決

　このような社会包摂につながる芸術活動は、どのように評価したらよいのでしょうか。第2部以降で詳しく検討しますが、福祉事業ではなく、文化事業として社会包摂を推進する際には、**価値創造を通じた課題解決ができているか**という点が重要になります。

　「価値創造」というのは、価値のあるものを新しくつくり出す、もしくは新しく発見するという意味です。例えば、背景の異なるAさんとBさんが1つのものをつくっているとしましょう。Aさんが「いい」と思うものと、Bさんが「いい」と思うものが違っている場合は、作品を生み出すのは困難ですが、お互いの違いを尊重しながらも、どちらにとっても「いい」と思うものが見つかると、作品が形となって現れてきます。それと同時に、この作品を「いい」とみなす新しい価値観も生み出されます。**新しい作品ができると同時に、それを評価する新しい価値観が生まれる。**これが芸術活動による価値創造です。

　一方、社会包摂で「課題解決」の1つの鍵となるのが、エンパワメントです。マイノリティと呼ばれる人たちは、自分の意思とは関係なく社会的立ち位置が決められ、自由に考え行動することが制限されているため、生きづらさを強く感じています。しかし、芸術活動では、何が正しく何が間違っているかが、あらかじめ定められていないため、ふだんの立ち位置から解放され、自由に表現するチャンスが訪れます。例えば、日常生活では「同じことを続ける」や「何もしない」ことが評価されることは稀ですが、芸術活動ではそれが1つの表現として尊重されることがあります。**非日常的な活動を通して新しい価値観が生まれ、そのことで、参加者がエンパワメントされる。**これが芸術活動による課題解決です。

　本章では、社会包摂につながる芸術活動を実施する際には、「多様な人たちが違いを認めあう関係を築くことができるように、マイノリティの人たちがエンパワメントされ、マジョリティの人たちの意識が変化する」ことが重要という点を見てきました。作品づくりを通して新しい価値観が生まれ、そのことで、マイノリティの意識もマジョリティの意識も変わるというのが、「価値創造を通じた課題解決」のあり方です。

価値創造を通じた課題解決

まとめ

　社会包摂につながる芸術活動について話をすると、「芸術の質は問わなくていいのか」という質問が必ず出てきます。しかし、この質問には誤解が含まれています。

　これまで芸術にはいくつものジャンルがあり、それぞれの中で優劣が論じられてきました。ですが、ジャンルの中での基準はそこに属する人には重要でも、そうでない人にはあまり意味のないことです。議論すべきは、むしろ「この活動に関わる人たちにとって大切にしたい芸術の質とは何か」ということでしょう。あるジャンルの専門家とそうでない人が一緒に活動をするのであれば、**その人たちの中で大切にしたい芸術の質が何かを考え、その質を高めることが重要**です。

　芸術をモノではなく、コトととらえ直すことで、芸術の可能性は広がります。技を用い、工夫をしながら何かを生み出し、そのことで世界の見え方や関係性に変化を及ぼす仕掛けが芸術であり、これまで存在しなかった新しい価値の存在を人々に問いかけるのが芸術だからです。

　社会包摂という言葉を現場の言葉に翻訳し、活動に関わる人たちにとっての芸術のあり方を問いながら、その質を高める努力をすることこそが、社会包摂につながる芸術活動を実践することと言えます。たとえそれがうまくいかなかったとしても、その試行錯誤自体が1人ひとりと向きあう文化を醸成し、ともに生きる社会を築くことになるからです。

1-2 活動から生まれること

ここまでは、芸術や社会包摂についての基本的な考え方に触れてきました。では、実際の現場では、どのようなことが起こり、何が活動の成果として期待できるのでしょうか。ここでは、「創造」「発表」「鑑賞」「交流」「人材育成」というキーワードを手がかりに、多様な人々が関わる芸術活動から何が生まれるのかということについて考えていきます。

活動から生まれること

創造

　創造活動は、1人で、もしくは誰かとともに作品をつくることを通じて、ふだんの自分とは異なる自分を見つけたり、相互理解やエンパワメントにつながる可能性を持つものです。また、創造のプロセスにおいて、参加する人それぞれの社会的背景や生きてきた歴史が、重要な意味を持ち得ることもあります。

　こうした創造活動に多様な立場の人々が関わるときには、それぞれの芸術ジャンルに特有の手法にこだわるだけでなく、多様な創作方法や、現場での突飛な発想を柔軟に受け入れる姿勢が大切になってきます。その結果、これまでの芸術の考え方ではとらえきれない、なんとも言えない面白みがある表現が生まれることも多いようです。

　今、障害者福祉施設では、美術や工芸、音楽、演劇、ダンスなどといった多様な表現活動が行われています。その展開は実に多様で、海外で高い評価を受けることもあれば、作品を題材としたグッズが作られ、販売されることもあります。また障害のある人が作品制作の指導をするような事例も少しずつ現れてきました。

　外国人人口が多い地域にある公立文化施設では、外国人が参加することを前提とした市民参加型プログラムとして、ワークショップなどが継続的に行われています。なぜこの地域に暮らし、生活にどのような困りごとがあるのか、という自らの体験を語り共有しながら演劇作品をつくることもあれば、自国の持っている文化を互いに紹介しあうこともあります。

ポイント

多様な人々が関わる創造の現場は、決まった表現のやり方を上から教えるだけでなく、新しい表現手法の可能性が拡張される機会となります。また、現場で起こっていることを、その活動を支える立場の人々がどのようにとらえるかによって、創造のあり方が変わっていきます。創造された「モノ」だけでなく、創造する過程や環境などの「コト」も創造的にとらえる工夫が重要です。

1-2

活動から生まれること

発　表

　発表の場では、日常と異なる体験をすることにより、元気づけられたり、次の創造活動に取り組むモチベーションの向上につながったりすることがあります。現在、市民による芸術表現を発表する機会は数多く持たれています。こうした発表の場において、ふだん出会わない多様な人たちとつながりを新たにつくるという意味も大きいでしょう。

　多様な人々による芸術活動の発表の場もまた、これまで数多く持たれてきています。また近年は、障害のある人や、高齢者、在留外国人、ホームレスなどの人たちと芸術家たちが関わりあいながら、ともに作品発表を行ったり、彼ら／彼女らの日々の生活や行為をもとにした作品や表現を発表したりすることも多く見られるようになってきました。

　高齢者が演劇を行う取り組みが、劇団や公立文化施設などを主体として行われています。演出家を招いて専門的な稽古を行い、既存の戯曲をただ演じるというだけでなく、高齢者が歩んできた人生の悲喜こもごもがにじみ出る作品が生まれる様子は、見るものを圧倒します。

生きづらさを抱えた若者たちとともに音楽や演劇などのワークショップを行う先進的な事例もあります。地域を拠点に活動するオーケストラや劇団などが主体になり、芸術の専門性の有無を超えて、協働による新しい作品づくりにともに取り組んでいます。ただ発表するだけでなく、ともに新しい作品をつくるというプロセスは、芸術の専門家にとっても新たな挑戦です。

ポイント

単に自分1人だけ、もしくは自分の通っている芸術の教室だけで発表を行うというだけでも、自己肯定感や生きがいなどを育む可能性はあるでしょう。ただし、そこからもう一歩進んで、多様な立場の人々が発表を通じて一堂に会し、ともに発表の内容について語りあったり、交流の機会を生み出したりすることができれば、文化の場が地域やコミュニティにとっての新たな居場所として機能する契機となるでしょう。

1-2

鑑　賞

　近年、美術作品の対話型鑑賞や、作品上演後のトークセッションなど、鑑賞の体験を多様にとらえ直すための試みが行われています。このような場は、自分とは異なる作品の解釈を知ることにつながり、1つの作品をとらえる多様な視点を学ぶ機会になります。

　一方、多様な人々に鑑賞の場をひらく際には、さまざまな「バリア」を意識しなければなりません。そのバリアは、施設や設備などのハード面の工夫や、通訳などのソフト面の工夫によって取り払われる場合もあります。また、障害のある人や外国人の居住状況、地域による文化的資源の偏りなど、地域の特性に応じた配慮のニーズを探ることも大切です。また、さまざまな手法を通じて鑑賞環境をより豊かにするための試みも各地ではじまっています。

字幕付流れます

　鑑賞の機会の拡大といっても、実際はケースバイケース。聴覚障害のある人に演劇の鑑賞体験をひらくための活動には、字幕投影、磁気ループ、台本の事前貸し出しなどその場に応じてさまざまな手法が用いられています。視覚障害のある人とない人がペアになって美術鑑賞を行う対話型鑑賞の活動は、「見える／見えない」を超えた新鮮な鑑賞体験として共感を集めています。

移民やLGBTなどの性的少数者といったテーマを掲げた映画祭が、全国で数多く開催されています。こうした場は、当事者の生きづらさや社会的困難を知らせる機会となるだけでなく、当事者が安心して集うことのできる機会になることもあります。単に上映するだけでなく、関連するトークイベントをひらいたり、生きづらさを抱える当事者同士が語りあえる場をひらくなどの試みも広がっています。

ポイント

鑑賞の機会を工夫しながらあらゆる人にひらくことにより、これまで芸術のイベントに来ていなかった人々が参加するきっかけが生まれるでしょう。鑑賞サポートや情報保障というと、とかく障害のある人など「特定の誰かのために」行われがちです。しかし、鑑賞の環境が変わることで、作品自体の見え方も変わります。「あらゆる人」が楽しむことのできる鑑賞環境をつくることは、もう1つの「表現」であるとも言えます。

1-2

活動から生まれること

交流

芸術は分野や国境を越えた交流を行うきっかけとして機能するとともに、言語を使ったコミュニケーションとは異なる、身体や五感を使ったコミュニケーションを通じて新たなつながりを生み出すことがあります。小学校や特別支援学校などの教育機関に芸術家が派遣されたり、障害のある人の作品が海外で展示されたりすることで、新たな交流のための回路が生まれるきっかけがつくられるのです。

小学校や特別支援学校での芸術ワークショップを通じて、芸術家と子どもたちが交流する事例が数多くあります。おとなしいと思っていた子どもたちがいきいきと活動する姿を見て、先生たちは驚き、ふだんのクラスでの接し方も工夫してみようと感じることもあるようです。芸術家たちにとっても、ワークショップでの経験が自らの創造性を深める契機となるようです。

ポイント

障害のある人や高齢者、子ども、在留外国人などが関わる文化交流は、行政のこれまでの施策でも数多く行われています。ともすれば交流すること自体が成果としてとらえられがちですが、交流することを契機にし、それぞれの立場が持つ社会的課題に対してどれだけ深くアプローチできたかという視点も重要でしょう。

人材育成

芸術には、つくり手だけでなく、それらを社会とつなぐ担い手 (アートマネジャー)の人材育成が不可欠です。これまでも、学芸員や舞台制作者などのノウハウを学ぶ実務者研修などは多く行われてきています。多様な人々が関わる芸術活動を支える人材育成には、芸術の知識だけでなく、福祉、教育などの多様な領域を横断し「翻訳者」として活動できる人が求められます。

大学や福祉施設を舞台として多くの人材育成事業が実施されています。作品制作の現場に関わるインターンシップで現場に必要な知を実践的に学ぶプログラムや、介護福祉施設での実習を行うことで、福祉現場で起こっている出来事から表現を考える視点を養うプログラムなどもあります。

ポイント アートマネージャーは、芸術の創造や発表を裏方として支えるだけではありません。さまざまな立場の人をつなげ企画に生かすことで、企画や作品の方向性を示し、社会に対し事業の成果を多様に広げる契機をつくる、きわめて創造的な立場と言えるでしょう。

まとめ

　ここまで、多様な人々が関わる芸術活動から生まれることについて、いくつかの側面から、その概略や成果のイメージについて考えてみました。

　もちろん、どんな成果が求められるかは千差万別で、なかなか一言では言い表せません。ですが、ここまでの考えを見渡すと、いくつか共通する視点があるようです。

　これまでの芸術や文化のあり方を見直し、さらに拡張させていくような視点。誰か特定の人のために行うことが、実はあらゆる人のためになっているような視点。

　社会包摂につながる芸術を考えていくことは、これまでの固定化した考え方を見直し、これからの新たな芸術のあり方を創造するきっかけとなるのです。

1-3 取り組みの紹介

これまで社会包摂につながる芸術活動の考え方や、期待されることについて見てきました。それでは、実際の現場では、どんな取り組みが具体的に行われているのでしょうか。ここでは、全国各地で実践されている9つの取り組みを、写真やキーワードとともに紹介していきます。それぞれの取り組みにおいて、どのような人たちが、誰と、どのように表現を共有したり、生み出したりしているのかを見てみましょう。

実践のヒントを探そう！

本章では、皆さんに知って頂きたい各地の取り組みを紹介しています。
対象やアプローチ、ジャンルなどを考慮しながら多様な事例を選んでみました。現場で必要とされている取り組みのヒントを探してしてみてください。

取り組み事例の見方

〇〇〇〇〇〇〇〇〇〇 —— 施設名 / 団体名
「〇〇〇〇〇〇〇〇〇〇〇〇〇」 —— プロジェクト名
〇〇〇〇〇〇〇〇〇〇〇〇〇〇〇〇〇

PHOTO

〇〇〇〇〇〇〇〇〇〇〇〇〇〇〇〇〇〇〇〇〇〇〇〇〇〇〇〇〇
〇〇〇〇〇〇〇〇〇〇 プロジェクトの概要 〇〇〇〇〇〇〇〇〇〇
〇〇〇〇〇〇〇〇〇〇〇〇〇〇〇〇〇〇〇〇〇〇〇〇〇〇〇〇〇
〇〇〇〇〇〇〇〇〇〇〇〇〇〇〇〇〇〇〇〇〇〇〇〇〇〇〇〇〇

〇〇〇〇〇〇〇〇〇〇〇〇 —— 関係者

音楽 ダンス 演劇 文学 哲学 創造 発表 鑑賞 交流 まち 県

プロジェクトに関連するキーワード・タグを以下の4分類で記載しています

ジャンル	芸術、音楽、ダンス、文学…など
活動の種類	創造、発表、鑑賞、交流、人材育成 のうち該当するもの（1-2参照）
場所	施設の分類：公民館、文化施設…など
都道府県	施設の所在地、主な活動の実施地域

URL　http://xxxxxxxxxxxxxxxxxxxxxxxxxxx
※URLは2021年5月時点

せんだいメディアテーク
「3がつ11にちをわすれないためにセンター」
東日本大震災の記録をアーカイブする

記録資料を常時展示できるブース「アーカイヴィークル」

　2011年5月に開設された「3がつ11にちをわすれないためにセンター（わすれン！）」は、市民、専門家、アーティストらが協働し、復旧・復興のプロセスを映像、写真、テキストなどさまざまなメディアで記録、発信するプラットフォームです。
　建設会社の方が撮影した復旧作業の映像、震災後の人々の暮らしの変化をとらえた写真、多様な性の当事者による震災体験の手記…。こうした記録以外にも、「震災の《当事者》とは誰か？」などのテーマに沿って、震災について来場者が考え、聴き、語りあう対話の場がつくられています。
　ここでは、記録から発信までの過程すべてに、市民がさまざまな形で関わることができ、震災の記憶・記録を後世に残し活用する取り組みが続けられています。

関係者：市民、専門家、アーティスト、NPOなど

映像　写真　テキスト　創造　発表　鑑賞　公共施設　宮城県仙台市

URL　　せんだいメディアテーク　　　　　　　　https://www.smt.jp/
　　　　3がつ11にちをわすれないためにセンター　https://recorder311.smt.jp/

アーツ前橋
表現の森「石坂亥士・山賀ざくろ×清水の会えいめい」
アーティストと特養の高齢者が創造する音楽とダンス

アーツ前橋ギャラリーにえいめいの高齢者をお招きして開催したセッションの様子　©Kigure Shinya

　アーツ前橋では、2016年より、アーティストと前橋市内の施設や団体が協働する「表現の森」に取り組んでいます。そのプロジェクトの1つが「石坂亥士（がいし）・山賀ざくろ×清水の会えいめい」です。これは、神楽太鼓奏者とダンサーが特別養護老人ホーム（特養）に訪問し、楽器に触れてもらいながら、即興で音楽と身体表現のワークショップを行うものです。特養は、身体や認知機能の低下がある、介護度の高い方々の入居施設です。そうした利用者の皆さんも、ワークショップに参加すると、リズムを刻んだり、ふだんとは違う表情を見せたりします。現在、福祉の現場においてアートがどのような変化をもたらすのか、検証が進められています。

施設：社会福祉法人清水の会　えいめい（特別養護老人ホーム）
プロジェクトチーム：神楽太鼓奏者、ダンサー、映像記録制作者、コーディネーター

音楽　ダンス　創造　発表　介護老人福祉施設　美術館　群馬県前橋市

URL　　　　https://www.artsmaebashi.jp/FoE/projects/project01/

あうるすぽっと（豊島区立舞台芸術交流センター）
「光の音：影の音─耳だけで聞くものなのか─」
聴覚障害のある振付家とのクリエイション

舞台公演の様子 ©Ikegami Naoya

　舞台芸術公演や参加型ワークショップなどを開催する「あうるすぽっと」では、2018年にきこえない人にとっての「音」を表現した「光の音：影の音」を実施。
　きこえない人にとって「音」とは何なのか。きこえる3人のダンサーが、音と言葉を分解し、身体表現として再構築しながら、アーティスティック・ディレクターである南村千里さんがきこえない視点で演出・振付したダンス公演です。常に手話通訳が入っての創作プロセスでは、スタッフも含めきこえないという感覚に戸惑いながらも理解を深めていきました。そして、きこえない方に「音」を伝えるのではなく、南村さんが感じている「音」の世界を表現しました。公演の際には手話表現、字幕による演出、難聴者支援、視覚障害者のための音声ガイドも用意し、受付での手話対応、視覚障害者への駅からの誘導も実施しました。

主催：あうるすぽっと（（公財）としま未来文化財団）、豊島区、
アーツカウンシル東京（（公財）東京都歴史文化財団）

ダンス 創造 発表 鑑賞 交流 公立劇場 東京都豊島区

URL　　　https://www.owlspot.jp/events/performance/post_67.html

可児市文化創造センター ala
ala まち元気プロジェクト「スマイリングワークショップ」
不登校の子どもたちへのコミュニケーション・ワークショップ

アーティストと子どもたちによるワークショップの様子

　可児市文化創造センターala (アーラ)は、「芸術の殿堂ではなく、人間の家」「もっと市民へ！もっと地域へ！」を目指した劇場運営を行っています。
　「alaまち元気プロジェクト」は、文化芸術を通じた、生きづらさや生きにくさを感じている人々を孤立させないための取り組みです。年間約30種類、400回以上のアウトリーチとワークショップを実施。その成果をSROI（社会的投資収益率）を用いて数値化することにも積極的に取り組んでいます。その中の「スマイリングワークショップ」では、ダンスアーティストや演劇の専門家が、「スマイリングルーム」（不登校児童生徒のための教室）を訪れ、言葉ではなく"身体表現"や演劇の要素を盛り込んだ表現活動を通して互いの気持ちを伝えあうワークショップを実施しています。

主催：可児市 ／ 企画・実施：(公財)可児市文化芸術振興財団
協力：可児市教育委員会
アーティスト：体奏家・ダンスアーティスト、演劇ワークショップ講師

`ダンス` `演劇` `創造` `発表` `交流` `公立劇場` `岐阜県可児市`

URL　　　https://www.kpac.or.jp/machigenki/

京都国立近代美術館
「感覚をひらく ―新たな美術鑑賞プログラム創造推進事業」
視覚障害のある方と一緒につくる、新しい美術鑑賞の形

伝える・感じる・考える―制作者と鑑賞者の対話 活動風景
ビニールでできた《空気の人》（鈴木康広，2016）をさわって鑑賞する参加者たち

　京都国立近代美術館では、見えない人と見える人による鑑賞活動を長年受け入れ
てきました。そうした中で、平成29年度より本事業を立ち上げ、地域の盲学校や大学、
視覚障害のある方と協働し、障害の有無を超えて誰もが美術館を訪れ、作品を鑑賞・
体験できるプログラムづくりを行っています。

　本事業では、多様な人たちが美術館に集い、本物の作品をさわったりおしゃべり
したりしながら鑑賞するイベント等を開催。また点字・拡大文字による美術館パンフ
レットや、さわる図と文章で所蔵品を紹介するツール「さわるコレクション」も発行
しています。ユニバーサルな鑑賞のあり方を模索することが、作品の新たな魅力の
発見や、さまざまな人びとの相互理解の場づくりにつながっています。

実施中核館：京都国立近代美術館
協力団体（平成30年度現在）：愛知教育大学、京都教育大学、
きょうと障害者文化芸術推進機構、京都市立芸術大学、
京都府立盲学校、群馬大学、国立民族学博物館、三重県総合博物館

美術　鑑賞　交流　美術館　京都府京都市

URL　　　https://www.momak.go.jp/senses/

NPO法人こえとことばとこころの部屋（ココルーム）
「釜ヶ崎芸術大学」
釜ヶ崎で自分の気持ちを「表現」できる場をつくる

「釜芸」の成果発表「釜ヶ崎オ！ペラ」のステージ

　ココルームは、大阪市西成区の通称・釜ヶ崎で、ゲストハウスやカフェ、まちかど保健室などを運営し、地域にであいと表現の場をつくる取り組みを行っています。

　まちを大学に見立てた「釜ヶ崎芸術大学・大学院（釜芸）」は、「学び合いたい人がいれば、そこが大学」をキャッチフレーズに、2012年にスタート。地域のさまざまな施設を会場にして、音楽、ダンス、演劇、文学、哲学、天文学など、年間約100講座を開催しています。「釜芸」には誰でも参加でき、ホームレス、障害者、ニート、アーティスト、外国人など、多様な人たちがつながり、自分の気持ちを表現する機会となっています。困窮されている方には無料での参加を呼びかけています。

講師：哲学者、詩人、指揮者、振付師、研究者、建築家　など
特別協力：ブリティッシュ・カウンシル、ドイツ文化センター
協働・協力：大阪大学、大阪市立大学、NPO法人釜ヶ崎支援機構、三徳寮

音楽 ダンス 演劇 文学 哲学 創造 発表 鑑賞 交流 まち 大阪府大阪市

URL　　http://cocoroom.org/

豊中市
「世界のしょうない音楽祭」
音楽の経験がなくても参加できる、世界に1つのオーケストラ

ワークショップで演奏の練習をする参加者たち

　世界のしょうない音楽祭は、2014年からはじまった、音楽ワークショップと発表会を行うプロジェクトです。全6回のワークショップには、音楽の経験や年齢を問わず市民の誰もが参加でき、作曲家の野村誠さん、日本センチュリー交響楽団の楽団員や大阪音楽大学の先生などと一緒にオーケストラをつくり上げ、音楽祭で披露します。音楽祭には300人近くの市民が参加し、小学生や地域演劇集団、外国の伝統楽器奏者など、多様な文化が入り交じった音楽とパフォーマンスが披露されます。オーケストラとは決まった編成や音楽ではなく、さまざまな人のアイデアや表現を常に取り込みながら発展し、それらが併存（ポリフォニー）したり、調和する（シンフォニー）音楽なのです。

主催：豊中市
共催：（公財）日本センチュリー交響楽団、豊中市市民ホール指定管理者
協力：大阪音楽大学、しょうないREK

音楽　ダンス　演劇　創造　発表　鑑賞　公立劇場　大阪府豊中市

URL
https://www.city.toyonaka.osaka.jp/jinken_gakushu/bunka/event/ev_music/sekainosyounai.html

NPO 法人まる
「Lifemap」
障害や福祉の垣根を超えて出会い、認めあうきっかけに

舞台公演「シンドローム -Lifemap-」© 泉山朗土

　NPO法人まるは、障害のある人が表現活動やものづくりを行う障害福祉施設「工房まる」の運営事業と、障害や福祉といった枠組みを超え、多分野の人々とのつながりを構築するコミュニケーション創造事業「maru lab.」の2つを柱に活動している団体です。

　2007年より、まるは（公財）福岡市文化芸術振興財団とともに、障害のある人たちの芸術活動を通じ、社会におけるさまざまな既成の“価値”や“枠”をとらえ直すプロジェクト「Lifemap」を展開。このプロジェクトでは10年間にわたって、展覧会や鑑賞ワークショップ、舞台公演などに取り組んできました。市内中心部の美術館や商業施設を会場とし、ふだん障害のある人とふれあう機会が少ない市民と、障害のある作家や役者、作品との出会いの場を生み出しました。

主催：NPO法人まる、（公財）福岡市文化芸術振興財団、福岡市

美術　演劇　創造　発表　鑑賞　交流　障害福祉施設　まち　福岡県福岡市

URL　　NPO法人まる　　　　http://maruworks.org
　　　　maru lab.(Lifemap)　　http://marulab.org/

那覇市若狭公民館
「パーラー公民館」
地域へとびだす、新しい公民館のあり方

公園に設置されたパーラー公民館

　「つどう・まなぶ・むすぶ」。これらは公民館の最も基本的で重要な機能といわれています。しかし、生活圏に公民館がなく、住民が気軽に集い、興味関心について学びあいながら、地域内外のさまざまな人や組織と結びつく「場」がない地域もたくさんあります。

　那覇市曙地区も生活圏に公民館がない地域の1つ。最も近い公民館へも徒歩で1時間かかります。そうした中で、若狭公民館が曙地区で実施する「パーラー公民館」は、公園にパラソルと黒板テーブルを持ち込み、野外空間をアートワークショップやイベント、語らいの場へとしつらえる"移動式屋台型公民館"です。ハードに頼らずに、住民とアーティストが出会い、新しい価値観に触れるユニークな場づくりが行われています。

企画・主催：NPO法人地域サポートわかさ（那覇市若狭公民館内）
設計・監修：小山田徹　／　制作：High Times　うえのいだ
協力：曙小学校区まちづくり協議会
支援：沖縄県、公益財団法人沖縄県文化振興会

音楽　映像　写真　創造　発表　鑑賞　交流　公民館　まち　沖縄県那覇市

URL　　　http://cs-wakasa.com/kouminkan/index.html

まとめ

　本章で紹介した取り組みは、全国各地で行われている実践の
ほんの一部に過ぎません。ですが、関わっている方々の意思と
工夫次第で、このような魅力的な創作や交流、鑑賞の機会が
すでにたくさん生まれているということが少しでも伝われば
幸いです。

　もちろん、皆さんの所属先やお住まいの地域では、アーティス
トとのつながりがなかったり、予算や会場に制約があったりす
るなど、「こんな取り組みはできない！」とお感じになった方も
いらっしゃるかもしれません。ただ、すべての取り組みがはじめ
から上手くいっていたわけではありません。さまざまな人との
出会いや試行錯誤の結果、多くの人にとってひらかれた場に
なっているのです。

　興味を惹かれた取り組みについてはもちろん、身近な地域で
行われている活動についても、詳しく調べたり、実際の現場を
訪れたりしてみてください。きっとさまざまな発見やヒントが
あるはずです。

1-4 行政と現場のコミュニケーション

これまでに社会包摂につながる芸術活動の基本的な考え方や、活動によって生まれること、全国で行われている事例を見てきました。ここでは、実際に文化事業として活動を行うことについて考えてみましょう。事業の運営には行政と現場の協力が不可欠です。お互いの立場や事業に関わる意識の違いを理解することで、行政と現場のコミュニケーションを円滑にするためのヒントを一緒に探っていきましょう。

はじめに

　文化事業に携わる行政職員が、事業実施団体から「現場のことを
わかっていない！」と言われて困るという経験。公的な助成を受けた
事業実施団体が、行政職員とのやりとりが何だかチグハグだと感じ
る経験。異なる立場の人が関わりながらプロジェクト運営を行うとき、
このような意識のズレはよく見られます。これらのズレは、なぜ生じ
るのでしょう。ここでは、双方の立場や事業に関わる意識を理解する
ことで、プロジェクト運営においてコミュニケーションを円滑にするた
めのヒントを探ります。

　本章では、右図のようにプロジェクト運営の流れを、「政策・事業立
案」「事業公募」「事業実施」「政策・事業評価」という4つの段階に分
けて考え、「行政」と「現場」が行うことを整理します。ここでいう「行政」
は、省庁や都道府県・市町村の自治体の職員を指します。芸術活動は
文化関連部署の職員が主に担当しますが、社会課題にアプローチす
る芸術活動では、文化・福祉・観光・教育など異なる部署の職員の連
携が必要となります。「現場」は、芸術活動を実施する現場の人たちを
指します。文化関連施設（美術館・劇場・音楽ホールなど）や各種法人
（NPO法人・社会福祉法人・医療法人など）、アーティスト、マイノリ
ティの支援団体や当事者団体などの人たちが含まれます。

　ここでは「行政」と「現場」の関係に焦点を当てていますが、中間支
援組織（文化芸術振興財団・アーツカウンシルなど）、専門家（アート
マネジメント・評価など）、スタッフ・参加者・地域の人など、事業実施
には多様な人たちが関わります。

プロジェクト運営におけるコミュニケーション

　行政が実施する文化事業は、行政主催のものもありますが、本章では助成（補助）事業・委託事業において、現場と協働して実施されるものを主な対象とします。次のページからは「行政」と「現場」が持つ意識のズレを、プロジェクト運営の流れに沿い、4つの段階に分けて詳しく見ていきます。

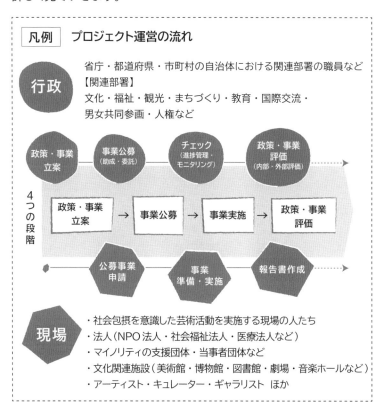

| 凡例 | プロジェクト運営の流れ |

行政
省庁・都道府県・市町村の自治体における関連部署の職員など
【関連部署】
文化・福祉・観光・まちづくり・教育・国際交流・男女共同参画・人権など

政策・事業立案 　事業公募（助成・委託）　チェック（進捗管理・モニタリング）　政策・事業評価（内部・外部評価）

4つの段階
政策・事業立案 → 事業公募 → 事業実施 → 政策・事業評価

公募事業申請　事業準備・実施　報告書作成

現場
・社会包摂を意識した芸術活動を実施する現場の人たち
・法人（NPO法人・社会福祉法人・医療法人など）
・マイノリティの支援団体・当事者団体など
・文化関連施設（美術館・博物館・図書館・劇場・音楽ホールなど）
・アーティスト・キュレーター・ギャラリスト　ほか

　以降の記述は、文化事業に携わる行政・事業実施団体・中間支援組織の職員、アーティスト、研究者など合わせて23名へのインタビュー結果をもとに作成しています。

政 策 ・ 事 業 立 案

法律をもとにつくられた基本計画や地方自治体の条例などに添い、
行政において政策・事業が企画され、予算が決定される段階。

行政

文化は余暇的なもので、生きるために必要なものだとは考えにくいな。市民にも文化に税金を使うことをどう説明すればいいのかな?

行政でやる意味とは!?

政策・事業
立案

社会包摂につながる文化や芸術のあり方を知ると、行政で事業を行う意義が感じられやすくなるでしょう（1-1~1-3参照）。

政策・事業
立案

事業を通して地域住民が笑顔になった事例などを丁寧に説明し、担当者がモチベーションを持てるよう研修をする自治体もあります。

現場

行政の担当者は現場のことを何もわかっていない。以前いた担当者はわかってくれていたのに…。

ポイント

どのような地域や社会課題に対して取り組むのか、事業のあり方や達成したいゴールについて関係者（行政内の複数部署・現場の実践者など）が考えを共有し、柔軟な発想で取り組む姿勢が大切です。

> 引き継ぎファイルからでは、現場でやっていることが見えてこない。どんな事業を考えたらいいのかしら。

> 予算を取るために、上司や財務部署から、事業の正当性について数値を根拠に説明するよう求められる。参加者数など、成果を数値で示しやすい事業をするべきだろうか。

現場からはじめる　　　　　社会を起点にした発想

> 事業を考えるときは、まず現場に出向いて、実践している人とつながりをつくることが大切です。地域の課題や現場のニーズをとらえやすくなりますよ。

> 事業担当者は、困っている人や社会の現状を良くしたいという発想を起点に、現場の人たちが独自の創意工夫をできるような事業スキームを考案する力が求められるでしょう。

> 引き継ぎは、現場と新旧の行政担当者が集まり、顔を合わせて行えるといいですね。

> 事業を行う目的や達成したいゴールを、関係者の間で共有できるといいですね。ゴール達成のための事業のあり方や手法には、多様な形があるはずですよ。

> 行政の担当者は一過性のイベントをこなすだけになっていませんか？ 地域のくらしをこんな風にしたいという思いを持って事業を考えることが大事では？

行政と現場のコミュニケーション

事 業 公 募

立案に基づいて行政が事業の公募を行い、事業実施を希望する
団体が応募し、審査によって事業実施団体が決定する段階。

行政

公的資金で事業を行う意味を、
現場で活動する人にもわかって
ほしいなあ。「自分たちは素晴ら
しい活動をしているから助成し
て」と言われても難しいです。

事業公募
（助成・委託）

公的資金で行う意味

申請書には、活動の目的が社会的にどうい
う意義があるか、公的資金を使うに値するか、
ということが示される必要があるでしょう。

公募事業の目的や申請書作成のポイントを、現場
に説明する機会を設けている自治体もあります。

事業公募

社会課題とのつながりを意識した事業を
推進できるよう、公募事業に「社会包摂」
関連の枠を設けている自治体もあります。

公募事業
申請

事業の枠組みを広げる

現場

公募事業は、既存の芸術活動をイメージ
してつくられていますよね。社会的に
意味がある活動でも、行政が持つ「芸術」
のイメージに沿っていないと応募しに
くいのはおかしいと思います。

ポイント

事業を公募する行政にも、応募する現場にも、事業を行う目的があります。お互いの目的を知り、お互いが理解できるような言葉や表現で事業の意義を伝える「翻訳」作業が双方に必要となります。

予算の枠は限られています。長年助成対象となってる団体でも、時代変化や活動の発展性を見て打ち切ることはあります。

アウトリーチの可能性　　　　　予算の制約

芸術活動が必要な人に届くように、自治体・現場・関係団体が協力して情報共有を行い、事業を実施している事例もあります。そのためには、各機関の間で信頼関係を築くことが不可欠となります。

行政では、限られた予算の枠の中で、どう効果的に使用できるか、担当者は判断を求められています。

現場では、常に時代の変化や活動の発展性を意識し、行政職員が理解しやすい言葉や文脈で活動の意義を伝える工夫や努力が必要でしょう。

そもそも応募できるテクニックがある人にしか届いていません。本当に助成を必要としているところを探して、行政から働きかけてもいいのでは？

長年良い活動を続けているのに、助成を打ち切られた。

事 業 実 施

事業実施のための準備・制作などのプロセス・実施した結果の
まとめが行われる段階。行政は、目的に沿った内容となっている
かチェックを行う。

行政

他部署と違って文化
の部署の業務はよく
わからないなあ。

チェック
（進捗管理・
モニタリング）

目的の共有・立場と役割の確認

行政と現場で目的を共有して事業をは
じめることはとても大切です。立場に
よる役割の違いもお互いに理解してい
ると、余計な衝突を避けられますね。

事業実施

芸術活動の中身や質がわからなく
ても、他部署での業務と同様、事業
の調整役という行政の役割は基本
的には変わらないでしょう。

事業
準備・実施

現場

行政が事業の中身に介入し
プロデュースしようとする
のは変じゃない？

ポイント

事業実施のプロセスで生じる思いがけない出来事は、最終的な成果物（作品など）よりも重要な意味を持つことがあります。また出来事を共有することで行政・現場の共感につながることがあります。

計画通りにいっていない!?
だ、だいじょうぶだろうか。

現場で参加者の表情や変化を見ることで、こういうことかと理解できるようになりました。上司にも現場に来てほしいな。

事業が計画通りに行っているのか不安を感じて、現場に伝えると、口を出しているととらえられてしまう。

現場で起こることの共有　　　相互作用で生まれるもの

行政も現場に赴くことで、実施のプロセスで生じている数値では見えにくい出来事を、現場の人たちと共有するチャンスを得られますよ。

参加した人の能力がいい形で発揮されて、出会うことで、相互作用でしか見られないものが生まれることがありますよ。

思いがけない出来事が起こって計画変更になっても、目的に沿った内容であれば問題ないことが多いです。むしろ、事業の発展につながるかもしれませんね。

この相互作用は、社会課題にアプローチした活動にとって、関係した人の間に共感や理解を生む、とても大切な意味を持つのです。

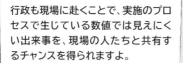

計画通りできることが一番じゃないんです。思いがけないことが生じる場づくりは、それよりも重要な要素だと思います。

行政の人は現場に来ないし、障害のある人など、活動をする人たちに魅力を感じていないように思えるなぁ。

政 策 ・ 事 業 評 価

事業実施団体により事業の自己評価や報告が行われ、行政により
その内部・外部（第三者）評価が行われる段階。

行政

> 評価では、数値（ボランティア育成
> 数、観客動員数など）が指標となり
> ます。数値は客観的な結果なので、
> 行政内や市民へ向けた報告・説明
> には使いやすいです。

政策・事業
評価
（内部・外部評価）

評価の指標（数値/質的データ）

政策・事業
評価

> 近年では質的データの重要性も再認識され
> るようになっています。しかし、客観性の担
> 保や指標としての扱いなどに課題があり、
> 新たな方法の検討が進められています。

> 一方、現場でも、行政内部では客観的な
> データが求められることを意識し、活動で
> 生じていることを、客観的に説明する方法
> を模索することも必要かもしれません。

報告書作成

現場

> 評価というと、事業の
> 良し悪しを一方的に
> 判断されるようで
> すごく抵抗がある。

> 助成元への報告は必要
> だろうけど、数値だけで
> 活動の意義を判断される
> のは嫌だな。

ポ イ ン ト

事業実施に関する評価は必要ですが、評価の本質的な必要性を考えることはさらに重要です。評価を通して、社会に変化を与えるような社会的価値を生み出すことを意識して実施することが大切です。

文化や芸術は、数値だけで成果を測れないことはわかっているけど、どうすればいいのかわからない。難しいなあ。

事業を実施した説明責任を果たすため、評価は必要です。評価指標は、上司や他部署が理解できるものと考えると、やはり数値になってしまう。

生きたアーカイブ

評価の意義？

現場でアーカイブを取ることは、行政の報告に活用できる上、事業改善など将来に向けた活動の財産となるため、とても重要ですよ。

文化事業の短期的評価は難しいということを理解し、目指す社会の実現に向け、長期的な政策・事業の改善に生かされるものとして活用できるといいでしょう。

参加者の表情がわかる動画・画像、具体的なエピソードを、報告や説明に効果的に使用している自治体もあります。

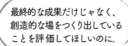

最終的な成果だけじゃなく、創造的な場をつくり出していることを評価してほしいのに。

評価した結果、何が起こったかを考えて議論することが大切なのに、そこまでいかない事業が大半ですよね。これでいいの？

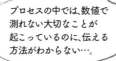

プロセスの中では、数値で測れない大切なことが起こっているのに、伝える方法がわからない…。

まとめ

　社会包摂を意識した芸術活動は、社会の中で多様な背景を持つ人たちが、ともに豊かに生きていくための仕組みをつくるきっかけとなることがあります。活動にマニュアルはありませんし、関係する人たちの願いや状況によっては、一見芸術とは思えない活動の形もあるかもしれません。プロジェクトを通して実現したい社会の姿を、行政と現場の間で共有することは、まず最初に必要なことでしょう。それができていれば、多少計画が変更になっても、トラブルが発生しても、本来の目的と照らし合わせて判断し、臨機応変に対応することができます。

　本章では、プロジェクト運営の各段階において行政と現場の間で生じやすい意識のズレについて、いくつかの例をみてきました。立場が違えばプロジェクトに関わる意識も当然異なるでしょう。大切なのはそのことを前提として、相手の立場を理解しようと努め、コミュニケーションの取り方を工夫することです。各ページの中央に記載したポイントが、工夫をするためのヒントとなれば幸いです。

　自分とは異なる立場の他者が持つ視点を想像することは、芸術活動のあり方についての新たな視座や発想を得ることにもつながるはずです。

研究協力者

2018年7月〜2019年3月に実施したインタビュー調査や公開研究会で協力いただいた方々のお名前です。なお、所属・役職は調査時のものです。

杉浦幹男	(公財)新潟市芸術文化振興財団 アーツカウンシル新潟 プログラムディレクター
大内郁	(公財)新潟市芸術文化振興財団 アーツカウンシル新潟 プログラムオフィサー
落合千華	ケイスリー株式会社 最高執行責任者
倉品淳子	俳優、舞台プロデューサー
佐藤李青	(公財)東京都歴史文化財団 アーツカウンシル東京 プログラムオフィサー
吉原貞典	文化庁 文化部 芸術文化課 文化活動振興室 専門職
鬼木和浩	横浜市 文化観光局 文化振興課 施設担当課長(主任調査員)
衛紀生	可児市文化創造センター ala 館長兼劇場総監督
坂崎裕二	可児市文化創造センター ala 顧客コミュニケーション室 係長
篭橋義朗	可児市教育委員会 教育長
吉野さつき	愛知大学 文学部 現代文化コース メディア芸術専攻 教授
木村元彦	滋賀県立近代美術館 副館長
見野甚九郎	滋賀県 県民生活部 文化振興課 美の滋賀・企画係
吉村美穂	滋賀県 県民生活部 文化振興課 美の滋賀・企画係
山下完和	社会福祉法人やまなみ会 やまなみ工房 施設長
中川幾郎	帝塚山大学名誉教授
アサダワタル	文化活動家・大阪市立大学都市研究プラザ特別研究員
中西美穂	大阪アーツカウンシル統括責任者
ほんまなほ	大阪大学 CO デザインセンター教員
野村誠	作曲家
櫛野展正	クシノテラス主宰、アウトサイダー・キュレーター
縣博夫	福岡県 人づくり・県民生活部 文化振興課 企画監
倉田作	福岡市 経済観光文化局 文化振興部 文化振興課 文化振興係長
下川華奈	福岡市 経済観光文化局 文化振興部 文化振興課 文化振興係

このほかに、文化庁の職員1名、(公財)福岡市文化芸術振興財団の職員2名の方々にもご協力いただきました。

参考資料

第1部の記述で参考にした文献やWEBサイトです(URLは2021年5月時点)。
なお、第1部は『はじめての"社会包摂×文化芸術"ハンドブック』(九州大学大学院芸術工学研究院附属ソーシャルアートラボ、2019年)に基づいています(ただし、P.26-27のみ、翌年刊行の『評価からみる"社会包摂×文化芸術"ハンドブック』の記述をもとに書き下ろし)。

上記ハンドブックの編集方針については、以下を参照。
中村美亜(2019)「政策と実践をつなぐ中間言語—『はじめての"社会包摂×文化芸術"ハンドブック』の作成」、『文化政策研究』12, 20-26.

■日本語文献
①中村美亜 (2013)『音楽をひらく—アート・ケア・文化のトリロジー』水声社
セクシュアル・マイノリティの二つの実践に焦点をあてながら、コトとしての音楽が人々をエンパワメントし、関係性に変化を及ぼす仕組みを明らかにする。ケーススタディと認知・ケア理論の両面からアプローチ。

②九州大学ソーシャルアートラボ(編)(2018)『ソーシャルアートラボ—地域と社会をひらく』水曜社
アートと社会を語る言葉の整理(中村美亜)、アートと文化政策の関わり(大澤寅雄)、アートの道具化に関する検討(長津結一郎)など、実践と深く関わる研究者やアーティスト18人による論考やエッセイ。

③長津結一郎 (2018)『舞台の上の障害者—境界から生まれる表現』九州大学出版会
障害のある人の舞台表現活動へのフィールドワークをもとに、表現が生まれるプロセスを描く。「障害者」だけでなく、さまざまな立場の人が共にせめぎあいながら表現を生み出していく「共犯性」に注目する。

④服部正 編著 (2016)『障がいのある人の創作活動—実践の現場から』あいり出版
障害のある人の表現について、美術・音楽・身体表現などの分野における創作活動の意義、創作と就労支援、作品の評価、創作の場の運営などのトピックに分け、実践者や研究者たちによる論考が集められている。

⑤村谷つかさ (2018)『障がいのある人の創作活動の指標に関する研究』九州大学博士論文
(https://catalog.lib.kyushu-u.ac.jp/opac_download_md/1931925/design0233.pdf)
障害のある人の創作活動をめぐっては多様な意見やアプローチが存在する。専門家などへのインタビューを通し、これらの論点を整理し、共有の実践や議論を促進するためのプラットフォームを提示する。

■英語文献

⑥Parliament of Australia. (2009) Research Paper "Social Inclusion and Social Citizenship: Towards a Truly Inclusive Society".

(https://www.aph.gov.au/About_Parliament/Parliamentary_Departments/Parliamentary_Library/pubs/rp/rp0910/10rp08)

オーストラリア議会のリサーチレポート。ヨーロッパで先行した社会包摂に関する政策を総括し、あるべき姿を提示する。

⑦Creative Scotland. "Equalities and Diversity".

(https://www.creativescotland.com/what-we-do/the-10-year-plan/connecting-themes/equalities-and-diversity)

英国スコットランドのアーツカウンシル「クリエイティブ・スコットランド」のWEBサイト。「平等、多様性、包摂」を一体的にとらえるアプローチに特徴がある。ポリシー、統計、事例集、実践用ツールキットなど。

■事業報告、WEBサイト

⑧可児市文化創造センター 「衛紀生の部屋｜エッセイ」

(https://www.kpac.or.jp/ala/kantyou/)

可児市文化創造センターシニアアドバイザー、衛紀生氏による論考。「"社会包摂"及び"社会包摂機能"について―今後、文化芸術を語るうえでのキーワードとなる新しい概念」、「"社会包摂は流行り言葉"という不見識」などのエッセイが多数掲載されている。

⑨文化庁「文化芸術推進基本計画―文化芸術の「多様な価値」を活かして、未来をつくる(第1期)」

(http://www.bunka.go.jp/seisaku/bunka_gyosei/hoshin/pdf/r1389480_01.pdf)

2017年改正の文化芸術基本法にあわせて策定された基本計画。6つの戦略の中には「多様な価値観の形成と包摂的環境の推進による社会的価値の醸成」と明確に掲げるほか、社会包摂につながる文化芸術に関する記述が多数みられる。

⑩特定非営利活動法人シアター・アクセシビリティ・ネットワーク(2018)
『観劇サポートガイドブック―視覚・聴覚障害者編』

(https://ta-net.org/guidebook/)

障害当事者からの声を幅広く集め、劇場のバリアフリーやアクセシビリティについての啓発活動を行っているNPOが編集した、視覚障害や聴覚障害のある人の劇場鑑賞についてのノウハウがさまざまな観点から記載されている。

2 基礎編

社会に向きあう文化事業の評価

第2部 基礎編
社会に向きあう文化事業の評価

第2部では、社会に向きあう文化事業の評価についての基本を学びましょう。以下の4つの観点からアプローチしていきます。

2-1

概論

社会包摂を意識した文化事業の評価とは　P.69〜

文化事業の評価と、社会包摂を意識した文化事業について理解を深めることから、両者を結びつける評価の方法を考えていきます。

2-2

事例からのヒント

評価をはじめる前に　P.83〜

文化事業を実施する団体が「評価」の問題に直面した時に、どのようなところに困難が訪れ、どういったことに気をつけていくとよいか、手がかりとなりそうな知見をもとに検討します。

2-3

ケーススタディ

現場から学ぶ評価の知恵　P.93〜

評価の専門家や事業実施団体に対して、実際の現場でどのような評価に取り組んでいるのかについてインタビューを行いました。自分たちの目的や課題意識に近い事例から、評価を生かすヒントを探ってみましょう。

2-4
対話のコツ

評価をとおしたコミュニケーション　P.109〜

異なる立場で事業に関わる人たちがコミュニケーションを行うハブ（結節点）として、評価をとらえ直します。評価の各場面において、事業の運営・改善・発展に生きる、評価をとおしたコミュニケーションのポイントを見ていきます。

2-1 社会包摂を意識した文化事業の評価とは

文化事業の評価というとすぐに、どんな評価手法がよいか、どのような指標を用いるかという話に進んでいきがちです。しかし、評価をする際に重要なのは、何のために評価をするのかを明確にし、その目的を達成するために最善の方法を探ることです。ここでは、評価で大切なことと、社会包摂を意識した文化事業について理解を深めることから、両者を結びつける評価の方法を考えていきます。

① 何のための評価か

　評価にのぞむ際には、まず何のために評価するかを明確にすることが重要です。目的にそぐわない方法を選択すると、望むような結果が得られないだけでなく、事業そのものを誤った方向に導いてしまうこともあるので注意が必要です。

　文化事業に関する評価には、次のようなものがあります。

- **批評**　　　　作品、イベント等（アウトプット）の良し悪しを伝える
- **事業改善**　　実施プロセスを検証し、事業改善に活用する
- **成果検証**　　事業がもたらした社会的変化（アウトカム）を明らかにする
- **事業報告**　　事業の実施内容を点検し、報告する
- **政策評価**　　行政において事務事業や施策の成果を検証する
- **アドボカシー**　［事業実施者］事業の成果や意義を社会に訴える
　　　　　　　　　［行政］予算要求のために実績やポテンシャルを訴える

　目的が異なると、評価の方法は大きく異なってきます。例えば、**批評**では、アウトプット（作品、パフォーマンス、イベント等）の良し悪しについて、特定の個人が当該ジャンルの基準にしたがい評価します。しかし、**事業改善**では、事業に関わった人たちが実施のプロセスを検証します。**成果検証**では、アウトプットではなく、アウトカム（事業がもたらした社会的変化）が評価の対象となります。

　事業報告では、プロセスやアウトカムを伝えることも大切ですが、その主たる目的は、計画に沿って事業を実施したかを点検し、報告することにあります。この報告は、理想的には、**政策評価**の基礎データとして活用されるものですが、現状は残念ながらそのようには機能していません。そこで、報告とは別の**アドボカシー**という方法で、事業実施者は、事業の成果や意義を社会に訴える、また行政担当者は、予算要求のために実績やポテンシャルを財務担当者に訴える必要があります。アドボカシーでは、アウトカムをどう伝えるかが焦点になります。

　このように「評価」と一口に言っても、目的や方法は多様です。ロジックモデル、SROI（社会的投資収益率）などの専門的手法も万能ではありません。**まずは目的を見きわめ、それに適した方法を選択することが肝心です。**

目的によって評価の方法は変わるんだ！

❷ 評価は測定ではない

評価は、漢字で「価を評する」と書きます。評価と測定は同じと思われがちですが、測定で示されるのは「価(あたい)」でしかなく、評価(ひょう)とは言えません。

コップに水が半分ほど入っているとしましょう。目盛りの細かい物差しを使うと、数値は大きくなります。一方で、目盛りの粗い物差しを使うと、数値は小さくなります。基準が異なると数値が変わってくるので、「価」を示すだけでは、それが何を意味するのかは不明です。

次に、コップに水が半分あるとして、これをどう解釈するかを考えてみましょう。あなたは「コップに水が半分もある」と表現しますか。それとも「コップに水が半分しかない」と表現するでしょうか。このように半分という「価」をどう「評」するかが、評価です。

しかし、「半分もある」とするか、「半分しかない」とするかは、どうやって決めればいいのでしょうか。もしこれまでコップに水が半分入ったことがなかったとすれば、「コップに水が半分もある」と言うのは妥当でしょう。しかし、いつもコップに水が半分以上入っているのに、「コップに水が半分もある」と表現するのは不自然です。つまり、判断をくだす場合には、その根拠が重要になります。

　とはいえ、根拠を示したとしても、これが誰か1人の判断だとすると、主観的な解釈に過ぎないと言われてしまうかもしれません。ここで大切なのが、立場の違う人の意見を聞くということです。例えば、コップを上から見ている人や下から見ている人、遠くから見ている人やたくさんのコップを見てきた人にも話を聞く。このように異なる視点からの意見を総合して結論をくだすと、判断の客観性は高まります。

　評価では「価」を示すだけでなく、それをどう「評」するかが重要です。1人の意見では客観性は確保できませんが、複数の視点からの意見を総合し、判断に根拠を与えることで、客観性は高まります。評価は特定の個人ではなく、人と人の「間」に存在するものなのです。

❸ 目的と目標の違い

日常では「目的」と「目標」の違いはあまり意識されませんが、事業や評価設計では、この違いが重要になります。

目的（goal）とは、事業を通じて目指す「的(まと)」のことです。公的事業の場合は、目的は事業を通して達成したいと考える社会の変化を指します（イベントを実施することはアウトカムではなくアウトプットなので、目的にはなりません）。目的には、その事業だけでは達成できなくても、同様の事業を継続したり、関連の事業と組み合わせたりすることで、中長期的に達成できる内容を設定します。例えば、「異なる価値観の人と共感しあえる関係をつくる」、「多様な人たちからなる新しいコミュニティを構築する」、「多様な人たちが協働して活動するモデルを提案する」などです。

一方、目標（objective）とは、「的」を射るために通過する「標(しるべ)」のことです。事業を通じて実際に達成される具体的内容を指します。しばしば「数値目標」という言葉が聞かれますが、「標」は数値である必要はありません。例えば、「自分とは異なる価値観を持つ人と対話する機会を持つ」、「社会にある"障害(バリア)"への理解を深める」、「コミュニティに新しく共有の価値観を生み出す」というのも目標になります。目標は達成されたかどうかが測れる点で、目的と異なります。また、通常、目的は一つですが、目標は複数設定されます。

　ここで覚えておくとよいことが1つあります。それは、**事業の目的は不変でなければなりませんが、目標は事業の途中でより適切なもの、より現実的なものに変更することが許される**という点です。特に社会包摂を意識した事業においては、予想通りに事が運ばないことは日常茶飯事です。計画にこだわることで目的を見失ってしまっては、元も子もありません。目的をしっかり見据えながら、今、ここでできる最善のことは何かを考え、臨機応変に対処していくことが重要です。

どの標（目標）を通って的（目的）に到達するか？

❹ プロセス評価

　評価というと、アウトカム評価（P.78-79）に意識が向かいがちですが、**事業の途中で実施内容をチェックするプロセス評価**もとても重要です。特に臨機応変さが求められる文化事業では、企画が固まってきたとき、次のステップに移行するとき、運営途中で何らかの判断が必要になったときなどに、「**事業の目的と内容に齟齬がないか**」、「**運営の仕方に問題がないか**」という点を検証することが重要です。前者はセオリー評価、後者はマネジメント評価と呼ばれます。

　例えば、事業の途中で、社会包摂につながるかどうかを見きわめたいときには、「価値創造を通じた課題解決」（P.26-27）に必要な条件が担保されているかをチェックします。

　まず価値創造に関しては、どうすればセレンディピティ（予想外の偶然の発見）が起きやすくなるかを考えます（P.148）。そこで鍵になると言われているのが、①あそび、②対等、③対話です。「あそび」は、スキマや余白をつくっておくという意味でも、遊戯的な要素を組み込んでおくという意味でも、2つの意味で重要です。また、新しい価値を生み出す活動なので、アーティストもそうでない人も「対等」である

必要があります。そのためには、「対話」が重要です。対話は非言語コミュニケーションの方が効果的なこともあります。

　次の課題解決については、社会包摂の文脈では、どうしたらエンパワメントが起きやすくなるかを考えます（P.22）。そこで鍵になると考えられているのが、①安心安全な環境の確保、②参加者がそれぞれのペースで表現することが許される状況、③自分と他人の表現が交わって新しいものが生み出されることです。人は、自分が自発的にやったことが何かに貢献できていると感じると、「生きていてよかった」、「自分には居場所がある」と感じることができます。

　以上のチェックポイントをまとめると、次のようになります。これらの点が担保されているかどうかを、セオリー、マネジメントの両面からチェックすることで、事業において「価値創造を通じた課題解決」が起きそうかどうかをチェックします。

文化事業が社会包摂につながるかを見きわめたい場合の「プロセス評価」

		セオリー （事業の目的と 内容の対応関係）	マネジメント （運営の仕方）
価値創造 （セレンディピティ）	①あそび	○	
	②対等		○
	③対話		
課題解決 （エンパワメント）	①安心安全な環境	○	△
	②それぞれのペース		○
	③表現の交わり	○	

⑤ アウトカム評価

アウトカム評価は、事業を実施したことで社会にどのような変化が生まれたかを検証するものです。先に見たプロセス評価では、事業実施側の企画運営をチェックしましたが、アウトカム評価では、社会の側の変化を検討します。アウトカム評価は、事業内容の評価（イベント内容や参加者数など）とよく混同されますが、これはいわば「アウトプット」評価で、アウトカム評価ではありません。

社会包摂を意識した文化事業では、事業目的に照らして、①社会課題の解決にどう貢献したか、②どんな新しい価値観が創造されたか、という２つの観点から、重要なアウトカムを特定していきます。

アウトカムの特定には、事業に関係する多様なステークホルダー（利害関係者）が集まり、対等に対話を重ねる「参加型評価」が効果的です（2-2以降参照）。対話を続けるうちに、説明できないと思っていたことも自然に言葉となって現れてくるからです。アウトカムについて話しあう際には、表のように、時期と波及範囲の２つの軸を設けると整理がしやすくなります。些細と思われることや、一見関係ないと思われることも気にせずどんどん出していくと対話が弾み、より本質的なアウトカムが見えてきます。

最終的には、事業目的に照らして重要度が高く、事業との因果関係が具体的に説明できるものを選択します。文化事業では、目的が同じでも、アプローチが違うと異なるアウトカムが生まれてくるので、それを丁寧に見ていくことが重要です。特に「新しい価値観の創造」は、文化事業にとって大切な部分なので、しっかり言語化していく必要があります。

	即時的 すでに変化が あったこと	中期的 変化が現れ はじめたこと	長期的 論理的に今後 見込まれる変化
参加者個々人 行動、意識、態度、理解、関心、 スキル、生活状況など			
事業に関わったステークホルダー 組織のあり方、運営の仕方、関係性など			
地域コミュニティや社会全体 意識、関心、社会のしくみ、社会状況など			

　これらの変化の中には、指標に変換できるものもあるかもしれません。指標と聞くと、すでに存在している標準的な指標を思い浮かべがちですが、自分たちで指標をつくることもできます。重要なアウトカムが見つかったら、それを達成するために必要な要素をいくつか選び、これらの程度や頻度を答えられるようにすると指標になります（2-3参照）。指標ができると、次回からそれを活用して、事業効果の一部を検証することが可能になります。

　アウトカム評価というと、事業終了後に行うものだと思われがちですが、評価設計や指標作成は、事業を企画する際に、データ収集は、事業の実施と並行して進める必要があります。

⑥ 事業報告

　事業が終了すると、事業実施者は行政などの資金提供者に報告書を提出します。記述の際には、次のようなことに留意すると、報告内容の客観性が高まります。

- 事業の実施前(before)と実施後(after)の変化がわかるように記述する。
- 事業を評価する際には、誰が、何を根拠に、どのような観点から評価しているかをわかりやすく書く。
- 数値を記す際には、その数値がどのように導き出されたか、それが何を意味するかを必ず説明する。
- 関係者の感想を掲載する際には、特定の人だけでなく、複数の視点からの意見を盛り込む。
- 評価の際には、「昨年に比べて」「他の類似の事業に比べて」など、比較の対象をわかりやすく書く。
- ポジティブな面だけでなく、ネガティブな面(改善が必要な点)も記述する。
- 目的達成のために目標や事業内容を変更した際には、その必然性を説明する。
- 計画段階では予想できなかったような事業の展開があったときには、その経過を詳しく記述し、事業の成果としてアピールする。
- ・・・・・
- ・・・・・
- ・・・・・

⑦ アドボカシー

　自分がよいと思っていることは、相手も同意してくれると思いがち
ですが、必ずしもそうではありません。例えば、経済的価値を重視
する人に、いくら文化的価値を訴えても、共感は得られないでしょう。
とはいえ、社会包摂を意識した文化事業で、経済的波及効果を強調
するのもナンセンスです。したがって、**日頃から資金提供者や社会
の人々に対して、事業の意義を訴えていくこと**が大切になってきます。
これが**アドボカシー**です。

　アドボカシーというと、冊子や映像、ウェブサイトや広報媒体での
成果発信に目が行きがちですが、日常生活における戦略的コミュニ
ケーションも大切です。例えば、行政では担当者が数年ごとに異動に
なりますが、その都度、事業の意義を丁寧に説明する必要があります。
文化団体が連携して、機会あるごとに議員や行政職員への働きかけ
を行うことも重要でしょう。また、日頃から異業種・異分野の人と
積極的にコミュニケーションを取り、協力や支援を呼びかけていくこ
とも欠かせません。

　現在の新自由主義的な社会では、経済的指標に基づいた政策判断
が重視されます。しかし、人の存在や行動が経済的価値で測られるよ
うになると、どんどん生きづらくなっていきます。社会包摂を意識
した事業は、多元的な価値観を社会に担保するのに、もっとも有効
なアプローチの1つです。私たちは連携して、この意義を社会に繰
り返し訴えていく必要があります。

まとめ

これまで社会包摂を意識した文化事業の評価について考えてきました。もっとも大切なのは、**評価は目的ではなく手段**ということです。評価は、事業の成果を最大化するために行うものであって、評価のために実施するものではありません。目的を明確にし、それに合った方法を選択することが不可欠です。

次に大切なのが、**評価はコミュニケーションの場**ということです。事業の成果に至るロジックやプロセスを検証すること、アウトカムが何かを議論すること、アドボカシーを通じて事業の意義を訴えること――これらはいずれも、他者とコミュニケーションをするための場と言い換えることができます。

そして最後に確認したいのは、**評価は本質的に創造的な行為**であるという点です。評価は、「はじめに」で述べたように、価値を引き出すということが原義です。価値を引き出すためは、創造的でなければなりません。それは参加型評価による対話の場において、もっとも象徴的に表れます。

このように、社会包摂を意識した事業の評価とは、事後にすることではなく、目的に向かって誠実に事業を実施することそれ自体と言っても差し支えないのかもしれません。

2-2

評価をはじめる前に

何のために評価をするのか、そのためには
どのような方法を取ったらよいのかは、現
場によって千差万別。しかしその中でも
重要なのは、巷で言われているさまざまな
評価の方法や考え方を参考にしつつ、自分
たちで評価の方法をカスタマイズすること
です。この章では、文化事業を実施する団体
が「評価」の問題に直面したときに、どのよ
うなところに困難が訪れ、どういったことに
気をつけていくとよいか、手がかりとなり
そうな知見をもとに検討します。

① 誰が評価するのか？

活動をやるだけではなく、評価も大事。
なので、専門家のあなたに評価してほしいです！
何をどうやって評価するかは、おまかせします。
期待してますね！

えっ？！
おまかせしますと言われても…。

　評価というと、一般的には、豊富な知識を持つ専門家が担うイメージがあります。**社会包摂に関わる芸術活動は、芸術と福祉の領域を横断して行われているため、評価にも幅広い知見が求められます。**ですが、芸術と福祉の両方の知見を兼ね備えた専門家は多くありません。結果、専門家に「丸投げ」して得られる評価と、本当に事業実施団体が得たい評価には、ズレが生じます。

　社会包摂につながる芸術活動の評価は、誰かがしてくれるものではなく、みんなでつくるものです。多様なステークホルダーたちの「想い」に耳を傾け、その活動の目指すものは何か、そのためにどんな評価をしていくといいのか、と**合議するプロセスが肝要**で、**参加型の評価を行っていく必要があります。**

キーワード

参加型評価

活動を提供する側だけでなく、活動を受ける側も含めた関係者が全員で評価のプロセスに参加することを通じて行われる評価のアプローチです。このプロセスを踏むことで、活動の意義を多角的に理解することができるほか、活動に関わる1人ひとりの当事者としての意識を育てることにもつながります。評価方法の設計段階から関係者の意見を取り入れ、実際にデータを収集・分析したあと、その結果についても議論しあうというプロセスを踏みます。

参考資料 P.124 ⑧

② 何を評価するのか？

私は参加者のみんなに、生きているという実感を
得てほしくてこの事業をやっています。
でも、ほかの参加者の人は違う目的があるかも
しれない。それぞれ違っていいんですよね。

生きる

そうそう。同じ活動の中でも、
いろんな想いを持った人が
いるんですよね。

　前ページでは、活動に関わる人々が多様な形で評価に関わることを
紹介しました。ですが、実際の評価の現場では、活動の持つ意義が関
係者の間でうまく共有できなかったり、評価の重要性がほかの仲間
にうまく伝えられなかったりすることもあるようです。思うように
評価のプロセスを踏めないと、何のために評価を行うのかを見失い、
評価のために評価を行う「評価疲れ」を生み出してしまいます。

　評価の目的を設定するときには、2-1(P.74-75)で触れている「的」と「標」の違いを十分に意識しながら、**評価が誰にとって、何をもたらすためのものなのか、を十分に検討することが大切**です。目的を設定するときには、参加者の属性が多様であるほど、目的を達成するための「標」が多様である、ということを意識した**ファシリテーション**が重要でしょう。

キーワード

ファシリテーション

ファシリテート(facilitate)とは、促進するという意味です。何かの集団が課題を解決しようとしたときや、新しいアイデアを生み出そうとするときなどの活動を「促進」するためのやり方を「ファシリテーション」と呼びます。準備してきたものを柔軟に変更したり、参加者を巻き込んで進行を行ったりすることによる創造の促進過程です。ファシリテーターは、語らいの場をつくり、多様な意見を受け止め、それらを整理し、分かちあうというプロセス全体を「促進」する立場と言えます。

参考資料　P.124 ⑦⑩

❸ どのように評価するのか？

この間セミナーで
「社会的インパクト評価」を勉強して、
うちでもやってみたいんですよ。

で、あさってイベントするんですけど、
社会的インパクト評価のためには、
どんなアンケートをつくったらいい
ですか？

えっ？！社会的インパクト評価って
そういうことじゃないと思うんだけど…。

　最近、さまざまな評価の考え方や方法についての用語を耳にするようになりました。「社会的インパクト評価」「プログラム評価」「ロジックモデル」「SROI」…。自分の現場でもそれを導入しなければならないのかな？でもどうやって？と焦る声も耳にします。重要なのは、目的に即した評価方法のデザインです。何をどのように評価できるかもまた、現場によって千差万別で、万能な方法はありません。

　重要なのは、現場ができることに応じて指標の作成やデータの収集方法をさまざまに試行錯誤することです（2−4, 4−4参照）。芸術の現場の評価は、参加者数や定員充足率などのような数字で表せるものだけではありません。数値ではない方法で評価を試みるための、質的調査についてもさまざまな試行がなされています。

キーワード

質的調査の方法

ある程度科学的ではっきりとした「知識」を得られる「量的調査」と違い、「質的調査」では、ある特定の問題について、特定の状況で、特定のデータを得て、限定された範囲内でそれを解釈します。具体的には、インタビュー、フィールドワーク、参与観察などがそれにあたります。質的調査の結果が、エピソードとして共感を呼ぶこともあれば、量的調査や質的調査の異なる方法同士を組み合わせることで、暗黙の了解を越え、一般的に今まで見えづらかった「真実」が見えやすくなることもあります。

参考資料　P.124 ①

4 いつ評価するのか？

> 私たちがほんとうに大事にしたいのって、
> 終わった後に取るアンケートの結果だけじゃない。
> 事業を通じて関わった人、1人ひとりが、
> やっている間にどんなことを考えてくれたか、
> ということに、大事なヒントが詰まってるのかも。

> そうですね。
> 数字で表しにくいエピソードも
> いろんな形で気づきを与えてくれます。

　前章の「アウトカム評価」でも触れましたが、**活動が終わったあとに評価をはじめようと思っても、活動の本質的な理解にはつながりづらい**と言えます。事前にデータを集めた方がよい場合も、事後にデータを集めた方がよい場合もあります。評価の目的から方法、タイミングを総合的にデザインしてから評価に臨むことが大切です。

　評価をサイクルととらえ、目的設定からデータ収集、振り返りまでを
1つのデザインとして構築することが重要です。そして、評価を設計
した時点では想像していなかった、**予定外のことが起こることが、**
社会包摂につながる芸術活動の醍醐味だと言えます。それもしっかり
と記録し、最終的に評価を行う際にも共有することで、次の機会に
再び評価を行うときの参考になるでしょう。

キーワード

フィールドノート

予定外のことが起こる現場をどのように書き残していくのが
よいでしょうか。それには、文化人類学や社会学の分野で書か
れるフィールドノートの書き方が参考になるかもしれません。
活動の当日の状況を、俯瞰的な目と、近視眼的な目の両方でと
らえ、それに対して活動している人々や、観察者本人の気づき
がどのように生まれたかということを克明に書き残していき
ます。こうした手法を生かして、地域での場づくりや、ワーク
ショップなどの活動記録をフィールドノートのように細かく
執筆するような事例もみられます。

参考資料　P.124 ②

まとめ

　社会包摂に関わる芸術活動の現場を評価することは、何を価値基準とするのかも、何が資金提供者や行政などへの説得材料となるのかも、関わる人の立場や現場のスタイルによって異なります。他の事例に有用な評価手法が、必ずしも自分たちの事例にマッチするとは限りませんし、そのズレは「評価疲れ」を生む危険性もはらんでいます。

　評価は、活動の意義を認めるためにやる場合もありますし、適切に活動を終わらせ、次につなげていくために行うものもあります。重要なのは、**自分たちの現場や目的に応じて、評価方法を柔軟にカスタマイズすること**です。そのためには、自分たちの活動の何が大切で、自分たちは何に価値をおいているのかということを、**活動する人たちの中で共通認識を持つこと**が肝心です。

　さらには、その共通認識がどのようにしたらほかの人たちに伝わるのかを**関わる1人ひとりがフラットに合議しながら、新たな言語を獲得していくプロセス**も必要でしょう。

　これからの評価のあり方には、一方的に誰かが誰かを評価する、という考え方ではなく、**お互いに、ともに評価するための「場」を形成していくこと**が求められるでしょう。

2-3 現場から学ぶ評価の知恵

本章では、さまざまな分野の評価の専門家や事業実施団体に現場の取り組みを伺い、まとめました。多様な参加者やステークホルダーが関わる評価のあり方、自分たちの目的・課題意識に近い事例から、今後評価に取り組む際のヒントを探ってみましょう。

6つの事例の中から実践のヒントを探してみましょう！

　本章では、評価の専門家や事業実施団体に、文化事業や現場での評価の取り組みの実情や工夫、これから評価に取り組みたいと考えている皆さんへのアドバイスなどについてインタビューを行い、その内容をQ＆A形式でまとめました。取り上げている事例は、すべてが「社会包摂」を意識したものではありませんが、評価を通じて次のような試みを行っているものです。

・事業に関わるステークホルダーにアプローチする試み　1　2
・団体内部の人材育成やアドボカシーにつなげる試み　3　4
・独自の指標をつくる試み　5　6

　読者の皆さんそれぞれの立場で、自分たちの活動のスタイルに近い例、評価の目的に近い例などから、参照してみてください。

※所属・役職はインタビュー時（2020年2月）のものです。

1　事業関係者の意識の変化　　P96

落合 千華
**ケイスリー株式会社　取締役・最高知識責任者、
慶應義塾大学政策・メディア研究科研究員**
評価の専門家として、組織や事業のマネジメント支援や、社会的・環境的成果の可視化、文化芸術を通した子ども支援、コミュニティ活性・社会包摂事業の研究・支援に従事。

2　協働相手との関係づくり　　P98

岡部 太郎
一般財団法人たんぽぽの家 常務理事
2003年よりたんぽぽの家スタッフとして、展覧会のプロデュースや企画、広報、ワークショップやセミナーのディレクションに取り組む。

3　団体内部の人材育成　　P100

三浦 宏樹

（公財）大分県芸術文化スポーツ振興財団 参与、
大分経済同友会 調査部長

2014年度より、大分県芸術文化スポーツ振興財団に勤務
し、文化政策のあり方や、地域のアートプロジェクトの評価・
ファンドレイジング手法の調査研究に従事。日本評価学会認
定評価士。

4　評価の活用とアドボカシー　　P102

吉本 光宏

（株）ニッセイ基礎研究所
研究理事・芸術文化プロジェクト室長

文化施設の開発やアート計画のコンサルタントとして活躍
するほか、文化政策や公立劇場・ホールの運営・評価、創造都
市、オリンピックと文化、アートNPO、アウトリーチ、メセナな
ど、アートマネジメント分野の幅広い調査研究に取り組む。

5　心理学との連携による指標づくり　　P104

日下 菜穂子

同志社女子大学現代社会学部 教授

臨床心理学、高齢者心理学専門。高齢者の生きがい創造
に関するプログラムの研究・実践に取り組む。

6　医学との連携による指標づくり　　P106

藤井 昌彦

東北大学医学部 臨床教授

仙台富沢病院統括理事長、山形厚生病院理事長。研究分野
は、老年医療、認知症、介護機器開発など。

1　事業関係者の意識の変化

事業実施団体	一般社団法人琉球フィルハーモニックオーケストラ
事業名	ゆいまーるミュージックプロジェクト「美らサウンズコンサート」
事業概要	障害者やその家族、関係者が心ゆくまで楽しめるコンサートを、音楽や福祉など各分野の専門家や障害のある音楽家、障害者の家族と一緒に企画・開催。(2019年)

落合千華さんに
伺います！

Q. この事業では何のために評価に取り組んだのですか？

A. この事業では、①事業で目指すことを明らかにし、実際にどんな変化が起きたのか検証すること、②参加者の直接の声を聞き、事業の成果や課題を明らかにし、今後の事業改善に生かすことを目的に、参加型評価に近い独自の手法で評価を行いました。

Q. 落合さんの関わり方について教えてください！

A. 1. まずプロジェクトメンバーに、1年間の事業でどんな成果を達成したいか？どのようなチームになっていたいか？調査で何を知りたいか？等の6つの質問を行い、意見を集めました。

2. 次に、集めた意見をもとに、簡易のロジックモデルを組み立て、目指す成果の言語化を行いました。成果に紐づく指標を作成し、達成したい成果のうちで特に重要と思うもの、測りたいものが盛り込まれているか、プロジェクトメンバーとともに、内容の確認・検討を行いました。

3. イベント当日は、私自身もボランティアスタッフとして動き、ふだん会えない関係者や参加者に直接声をかけ、それとなくインタビューを行いました。コンサート終了後も、団体スタッフと名乗り、参加者にインタビューを行いました。

4. コンサート終了後、アンケートやインタビューの結果を分析して取りまとめ、今回の成果、次回に向けた改善点を、メンバーと

≫ステークホルダー図

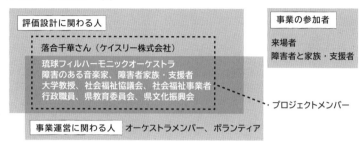

評価設計に関わる人		事業の参加者

落合千華さん（ケイスリー株式会社）

琉球フィルハーモニックオーケストラ
障害のある音楽家、障害者家族・支援者
大学教授、社会福祉協議会、社会福祉事業者
行政職員、県教育委員会、県文化振興会

来場者
障害者と家族・支援者

・・・・・ プロジェクトメンバー

事業運営に関わる人　オーケストラメンバー、ボランティア

共有しました。評価は、事業に関わる1人ひとりの声を代弁することができる強力なツールだと思います。

Q. 関係者の皆さんにはどんな変化がありましたか？

A. 複数年間、事業改善を目的として評価をする中で、団体が自然に評価を活用するようになり、「事業をより良くしていくために、参加者の声を把握して生かしたい」という意識が浸透してきたように思います。
また、関係者同士で**事業の意義や目的の共有が進んだ結果、新たな協力者が生まれたり、参加の意欲が高まったりする**など、意図していない変化が生まれています。

Q. アンケートや報告書を作るときに、心がけていることはありますか？

A. 資料をつくるときは、「**誰に対して伝えるものなのか？**」を常に意識しています。例えば、子どもに対してアンケートを取るなら、事業や質問の内容が簡単に理解できるように、やさしい言葉遣いに変えたり、ふりがなを使ったりするよう気をつけています。今回もメンバーと相談しながら、障害者の方にとって読みやすいフォントやルビを用いたり、音声読み上げができるようにWeb上にもアンケートを載せたりする等の工夫を行いました。
報告書をつくる際も、**誰が読むものか、どう使うのか**を考えながらまとめることが大切だと思います。

参考資料　P.125 ㉓㉘

2 協働相手との関係づくり

事業実施団体	一般財団法人たんぽぽの家、近畿労働金庫（近畿ろうきん）
事業名	「ひと・アート・まち」プロジェクト
事業概要	近畿労働金庫が主催、たんぽぽの家が企画・運営を担当し、近畿2府4県のうち毎年違う地域で実施。地元のアート・福祉関係のNPOや企業、商店街、キーパーソンなどをリサーチし、その地域に合わせた企画展示やワークショップ、フォーラムなどを開催。（2000〜2019年）

岡部太郎さんに
伺います！

Q. この事業では何のために評価に取り組んだのですか？

A. この事業では、事業に関わる1人ひとりの声を聞き、アートを通して地域で起こる変化をとらえることを目的に、関係者や参加者の話を聞くことに力を入れています。もちろん、来場者アンケートなども実施していますが、**1人ひとりの感想は複雑で多様なので、良い悪いで割り切れない部分をそのまま聞くことが大切**だと考えています。

Q. 関係者に報告や共有を行う際に、工夫していることはありますか？

A. 「事業報告会」のような固い会議では、互いの立場の違いもあり、意見や感想を言うのを躊躇してしまうこともあると思います。
私たちは事業終了後に、「振り返り会＆飲み会」のような場を設けて、ステークホルダーに集まってもらい、報告を行うようにしています。みんなで写真のスライドをワイワイ見ながら、「こんなことがあったね」、「こんなことがあって面白かったよ」とか、生の感想を共有します。すると、次はどんなことをしたいか、どうしたら実現できるのか、前向きな意見が出てきます。

≫ステークホルダー図

評価設計に関わる人	事業の参加者
	来場者
岡部太郎さん（たんぽぽの家） 近畿労働金庫	アート・福祉系NPO団体、 社会福祉法人、 地域住民等 (地域によって異なる)
事業運営に関わる人	

Q. この事業の協働相手である企業とは、どんな関係を築いてきたのですか？

A. もともと、自分たちの活動理念と近畿ろうきんの企業理念には共通するものがありました。事業を実施する際も、単にクライアントと受託者という関係ではなく、同じ方向を向いて一緒に考え、互いのネットワークや専門性を生かして協力できる関係を築いてきました。そうした関係があるからこそ、近畿ろうきんの就職内定者向け研修で、実際に会場を見学したり、私たちからNPOの視点を通して近畿ろうきんがこの事業に取り組む意義を紹介したりするといった、息の長いお付き合いを続けています。

Q. 参加者の数を気にするクライアントもいますが、どうしたら事業の内容に着目してもらえるのでしょうか？

A. 例えば、報告書の参加者数だけで事業の良し悪しを判断する相手だと、「今年は人が少なかったからだめだ」という結果だけで終わってしまいますよね。
私たちは近畿ろうきんと「集客については広報の問題として切り分けて考え、どんな変化が起こったのかに重点をおいて事業に取り組みましょう」という話をよくしていました。たとえ参加者数が少なかったとしても、事業に関わった人たちがこの機会を通してどんな人に出会ったか？地域にどんな変化が起こったか？と具体的に掘り下げていくと、質的な話ができると思います。

参考資料　**P.125** ㉔

3　団体内部の人材育成

事業実施団体	NPO法人 BEPPU PROJECT（混浴温泉世界実行委員会 事務局）
事業名	混浴温泉世界実行委員会事業
事業概要	別府市の文化芸術振興を図るとともに、地域活性化を担う人材育成に寄与し、市の魅力を全国へ発信することを目的に活動。 市民文化祭『ベップ・アート・マンス』と個展形式の芸術祭『inBEPPU』を毎年開催。（2009年～『inBEPPU』の前身である別府現代芸術フェスティバル『混浴温泉世界』開始）

三浦宏樹さんに
伺います！

Q. この事業では何のために評価に取り組んだのですか？

A. この事業では、①組織の基盤強化及び事務局スタッフなどの人材育成、②アカウンタビリティ（説明責任）の確保を目的として、参加型評価（発展的評価）に取り組みました。

Q. 具体的にはどんなことをしたのですか？

A. この事業では、バランス・スコアカード（BSC）＊の考え方を導入した評価を行っています。そこでは、【地方創生、観客、ステークホルダー、財政、マネジメント】の5つの視点に基づいた戦略目的の素案を、団体の代表が設定していました。ただ、素案について現場のスタッフからは、「腑に落ちていない、具体的なイメージがわかない、」といった声が上がっていました。そこで、**戦略の中身をスタッフの現場感覚に基づいて議論・検討し、理解や納得を深めることが大切**だと考え、スタッフ十数名全員参加のBSC検討ワークショップを、2017年の7月～9月にかけて、全5回実施しました。

＊ バランス・スコアカード（Balanced Scorecard）… 企業の業績評価・戦略経営支援システム

≫ステークホルダー図

評価設計に関わる人		事業の参加者
三浦宏樹さん（大分県芸術文化スポーツ振興財団）		来場者
BEPPU PROJECTスタッフ 混浴温泉世界実行委員会		『ベップ・アート・マンス』 登録団体
事業運営に関わる人		

Q. ワークショップはどのように進めたのですか？

A. 初回では、事業全体の現状の戦略や、評価のやり方、BSCとは何か、といったことを確認しました。やらされ感のある評価ではなく、自分たちにとって道しるべとなるような、役立つ指標をつくろうという視点を大切にしながら、指標案を順番に検討しました。理念的な目標の検討と共有からはじめ、徐々に手元の仕事やマネジメントの議論へと進めていきました。

Q. スタッフにはどんな変化がありましたか？

A. 日々の業務のなかで、職員が「今自分は、みんなでつくった目標のこの部分を達成したんだ！と気づいた」という話を聞きました。**事業の大きな理念や目的と、自分たちの仕事を紐づけて考える機会**になったのではないかと思います。

Q. 評価をスタッフの育成や意識改善につなげるためには、どんなことからはじめたらいいでしょうか？

A. 自分たちの事業の目的と、その達成への道筋について一緒に議論することが第一歩です。新たに調査をはじめるとスタッフの負担になったり、評価の専門家に依頼することが資金的に難しかったりすることもあると思います。
まずは、今、日常的に収集しているデータの整理からはじめてみましょう。それに基づいて、できるだけ簡易なロジックモデルや指標をつくり、アンケートでアウトカムを測定する、ということもできると思います。

参考資料　P.125 ㉑

4　評価の活用とアドボカシー

事業実施団体	北九州芸術劇場（公益財団法人北九州市芸術文化振興財団）
事業名	北九州芸術劇場の事業評価調査
事業概要	大ホール、中劇場、小劇場を備え、舞台公演やアーティスト・劇団の育成、アウトリーチなども実施。2003年の開館初年度から事業評価に取り組む。

吉本光宏さんに
伺います！

Q. この事業では何のために評価に取り組んだのですか？

A. 北九州芸術劇場の事業や運営の成果、課題を把握し、より良い劇場運営のあり方を検討することを目的として、2003年から継続的に実施しています。主に以下の4項目の調査のほか、毎年異なる「テーマ調査」も行い、評価フレームに基づいた調査結果の整理を行っています。
①各年度の事業の概要と実績（劇場運営基礎データの収集・分析）
②観客の特性と観客からみた評価（公演に来場した観客に対するアンケート調査の分析）
③貸館利用者からみた評価（貸館利用者を対象としたアンケート調査の分析）
④経済波及効果、パブリシティ効果の把握分析

Q. 劇場では評価をどのように活用していますか？

A. 劇場内で事業や運営の振り返りに活用していますが、2015年には、劇場の全職員を対象に、過去12年間の評価調査の結果について報告会を開催しました。開館以来の事業の実績や利用者の満足度の変化などに加え、ほかの劇場と比較した北九州芸術劇場の特徴なども解説させてもらいました。職員の皆さんはふだん業務に追われ、報告書を丁寧に読むのが時間的にも難しいこともあると思います。報告会に参加した職員の中には、「毎年続けている評価調査の必要性、重要性がよくわかった」と言ってくださった方もいました。評価調査のこうした活用は、**自分たちの仕事やその成果を俯瞰して見る機会になり、職員のエンパワメント**にもつながると思います。

≫ ステークホルダー図

評価設計に関わる人	吉本光宏さん（ニッセイ基礎研究所）	事業の参加者
北九州芸術劇場		来場者、劇団関係者等
事業運営に関わる人		

Q. 報告書のより良い活用方法を教えてください！

A. 私は事業評価調査を、成果・課題の把握、評価やPDCAのためだけではなく、もっと積極的に活用してほしいと思っています。調査の結果や報告書を劇場内や設置団体の行政組織だけで利用するのはもったいない。これからは、評価調査の結果を活用して、文化施設や事業の意義を伝え、**行政や市民の理解と賛同を得るためのアドボカシーへとつなげていく**のが、重要だと考えています。

Q. アドボカシーはどんなことからはじめたらいいのでしょうか？

A. 評価で得られた情報や事業の成果を、イラスト、インフォグラフィックス、事業の様子を撮影した映像などを活用し、視覚的、感覚的にわかりやすく伝えることが重要です。例えばイギリスでは、アーツカウンシルが助成を行うことで、どのような成果が生まれているのか、関係者へのインタビューなどを含む約5分の映像にまとめ、公開しています。しかし、事業評価調査の結果を、映像やイラストにまとめるのは難しい面もあります。その場合は、今年度の重点事業の成果に焦点を当て、何を訴えたいか、先にシナリオや仮説を設定し、それを裏づけるデータ収集、インタビューなどに限定した調査を行うという方法はどうでしょうか。評価のための評価調査ではなく、文化施設や芸術の社会的な意義をアピールするための評価調査、という視点も大切です。

そうしたアプローチが、皆さんの運営する文化施設ばかりか、芸術や文化の必要性に対するコンセンサスにつながり、結果的に文化施設や文化行政を支える基盤が形成されていくことになると思います。

参考資料 **P.125** ㉒㉕㉗

5　心理学との連携による指標づくり

事業実施団体	東京文化会館（公益財団法人東京都歴史文化財団）
事業名	即興的音楽ワークショップ「音の砂場」
事業概要	社会包摂的取り組みの一環として、「創造性」「協調性」「参加性」を重視する音楽ワークショップを、都内の高齢者施設や社会福祉施設等において実施。（2018年）

日下菜穂子さんに伺います！

Q. この事業では何のために評価に取り組んだのですか？

A. この事業では、高齢者の自発的でクリエイティブな活動が誘発されるようなプログラムをつくることを目的に、評価に取り組みました。私は心理学の研究者なので、**主催者がプログラムで意図していることや参加者の期待をヒアリングして、それらを心理学的理論を用いて指標化、数値や言葉で可視化します。実際の様子の観察を通して、ここでは、3層に分けて構造的な評価を行い、**以下のような項目の計測を行いました。

定量的評価
（健康状態、外出や交流の頻度、満足感、性格などを計測）

・認知機能や健康度を測るために、心拍数などのバイタルサインを計測
・社会的な活動や性格などの個人特性を計測

1

プログラム独自の定量的評価
（プログラムごとに独自に指標を設定。参加者の心身の変化を計測）

・多方向から撮影した映像を記録
・楽器を持つために腕を動かしたり身体を傾けたりする自発的な行動を計測
・協調的に動くために互いの行動を見る視線の動きを計測

2

定性的評価
（プログラム実施中に起きたことを記録し、2層目で計測された行動のきっかけや原因、結果を分析する）

・2層目の指標で計測する参加者の行動の変化を、参加者間のやり取りやリーダーの働きかけに関連づけて分析
・即興演奏での役割の変化から、グループ全体の成長を把握

3

≫ステークホルダー図

| 事業の参加者 |
| 評価設計に関わる人 | 高齢介護施設利用者 |

日下菜穂子さん(同志社女子大学現代社会学部 教授)、同大学検証チーム

東京文化会館ワークショップ・リーダー、高齢者介護施設職員
音楽家(音楽ワークショップ監修/トレーニング講師)

| 事業運営に関わる人 |

Q. 目標の言語化・指標化が難しいときはどうするのですか?

A. 私ははじめに画一的な「よさ」の基準を決めるのではなく、実際に起きたことを丁寧に記述することで「よさ」の基準を見つけていく分析スタイルをとっています。

今回は関係者から、「楽器を使って"砂場遊び"をしているような状況になるといい」という声が上がりました。そこで、スコップを楽器に持ち替えた「砂場遊び」の場で、人はどのように遊ぶのかに注目してワークショップを観察しました。そのときに、砂場遊びで「夢中になる」というのなら、心理学的に「夢中になること」がどのような行動で測れるのかを関係者と話しあい、前述(左ページ2層目)のような計測できる指標に落とし込んで提案しました。このように、チームの一員として見えない答えを一緒に探っていくことを心がけています。

Q. 日下さんが評価において目指していることは何ですか?

A. 私は音楽ワークショップの評価を通じて、プロのアーティストが社会包摂的な文化事業に関わる意義を明らかにすることが大切だと考えています。例えば、このワークショップで参加者の「自発的な行動」が活発になった理由は、数値の大小だけではわかりません。左ページ3層目の分析に注目すると、プロの音楽家が刻むビートや効果的な伴奏が下支えとなって、参加者が自ら行動を起こし、最初はバラバラだった音が美しいハーモニーへと調和していったことがわかります。こうした関わりあいを通してアーティストの役割を理解することにより、音楽家ならではの活動の存在価値が初めて説明できるようになります。

参考資料　**P.125** ㉖

6 　医学との連携による指標づくり

事業実施団体	仙台富沢病院
事業名	演劇情動療法
事業概要	認知症の人を対象にしたさまざまな情動療法のうちの1つ。演劇の専門家が、10人前後の認知症の高齢者に演劇の一場面を朗読し、情動を喚起することに取り組む。（2014年〜）

藤井昌彦さんに
伺います！

Q. 演劇情動療法とはなんですか？

A. 仙台富沢病院では2014年から、私と佐々木英忠さん（東北大学医学部名誉教授）、演出家・俳優の前田有作さんと一緒に、演劇情動療法に取り組んできました。この療法は、演劇の専門家が、10人前後のグループを対象に演劇の場面を朗読で再現し、認知症の人たちの情動を呼び起こすというものです。

認知症になると、理性を司る「新皮質」の機能が低下する一方で、情動を司る「大脳辺縁系」の機能には大きな低下が見られないという事がわかっています。そうした事実に着目し、大脳辺縁系に作用しそうなさまざまな活動を試みてきました。その結果、一定の認知機能を持っている人たちには、演劇の手法を用いた情動療法が効果的であることがわかりました。

Q. どんな評価に取り組んだのですか？

A. 評価については、通常の投薬治療を行ったコントロール群と、それに演劇情動療法を加えた群とを比較しました。この2つの群において認知機能検査（MMSE）と情動機能検査（MESE）を計測したところ、演劇情動療法を行った群では、認知機能に変化は見られないものの、情動機能が有意に活性化していることがわかりました。そこで、さらに情動機能の解析を行うため、新たに歓喜的情動指数という独自の指標をつくりました。

≫ステークホルダー図

評価設計に関わる人	事業の参加者
公益社団法人 日本劇団協議会	認知症患者

藤井昌彦さん（東北大学医学部臨床教授）
仙台富沢病院
NPO法人 日本演劇情動療法協会

| 事業運営に関わる人 | 前田有作さん（演出家・俳優） |

Q. 歓喜的情動指数とはどういうものですか？

A. 歓喜的情動指数では、「挨拶を返す」「感謝をする」「相手を気遣う」といった行動の程度と頻度を測ります。認知症においては、情動機能が活性化してこの指数が上昇することにより、暴力や暴言などの苦悩的情動が低下して、認知症の行動的・心理的症状（BPSD）が改善することが重要です。介護者からの働きかけに対して、どのように反応できるようになったかを測ることにより、高齢者のウェルビーイングがわかるだけでなく、介護者の態度に良い影響を及ぼすことになります。介護者が気持ちよく応対できるようになれば、認知症の方の満足度も上がるという好循環が生まれます。
現在、これらの指標を活用しながら、公益社団法人日本劇団協議会と連携して、減薬効果や医療費削減の試算をまとめ、アドボカシーにつなげようとしています。

Q. この取り組みで大切なことは何ですか？

A. 演出家の前田さんは、「小手先の演出や演技は、認知症の方たちには通じない。相手のことをわかった上で作品を選び、その本質を伝えようと役者が真剣に演じることが重要」と言っています。常に認知症高齢者の心の琴線に触れるように努め、歓喜的情動の創生を目的とすることが大切と考えます。

参考資料　**P.124** ⑤⑥

基礎編

107

まとめ

　本章で紹介した評価の取り組みは、多様な評価の実践例の1つです。どの取り組みも、さまざまなステークホルダーと一緒に評価の目的・指標の設定を行い、それぞれの目的に合わせた評価方法の選択と細やかな工夫がなされていました。

　また、紹介した事例のように、評価の専門家の力を借りると、

・ステークホルダーの意見を反映した評価設計や指標づくりの手助けが得られる
・自分たちだけでは難しいアンケートの設計、専門的な調査結果の分析ができる
・客観的な立場からアドバイスが得られる

など、さまざまなメリットがあります。

　評価に取り組むことはなかなか一朝一夕にはいきませんが、まずは今、自分たちができることのヒントが見えてきたのではないでしょうか。

2-4 評価を通したコミュニケーション

ここでは評価を、異なる立場で文化事業に関わる人たちがコミュニケーションを行うハブ（結節点）として、とらえ直します。事業の運営・改善・発展に生きる、評価を通したコミュニケーションのポイントを一緒に見ていきましょう。

文化事業の評価と政策の関係性

　社会包摂を意識した文化事業には、行政と現場のほかにも、中間支援組織や専門家（アートマネジメント、福祉関連、評価など）、参加者、地域の人など多様な立場の人が関わる可能性があります。異なる立場の人が集い協働して事業を推進する際に、評価は共通言語を与え、強力なツールとして役立つと言われています。しかし現状は、そのような評価の特性はうまく活用されていないようです。

　評価への認識を混乱させている要因の１つに、政策との関係性があります。例えば現場では、評価により事業の社会的価値を行政に示すことで、政策の改善につながることを期待します。

　一方、行政において事業の評価は、公的な予算を正しく使用し、計画通りに遂行したかをチェックするものという意味合いが大きく、政策変更に必要な材料という認識では必ずしもないようです。

　自治体により違いはあるようですが、一般的に行政における評価は、右図のような階層で行われています。「政策」というのは、4、5年くらいの中期計画を指します。「施策」は、「政策」の内容を具体的な個別の項目にしたものを指します。それを事業化したものが「事務事業」です。だいたい3年スパンのもので、予算がつけられる単位を指します。そこに単年度で行われる「事業／プログラム」があり、各「イベント」が実施されます。

　行政における評価の問題として、政策全体が体系的に評価されていないことが指摘されています。現場が、「事業／プログラム」や「イベント」の評価を真摯に行い報告書を提出しても、行政内でどう活用されているかわからないため、現場は行政に対し距離を感じてしまうこともあるようです。このような状況において、事業の評価はどのような可能性を持つのでしょうか。

【公的事業における評価の階層】＊インタビュー調査の内容を参考に作成

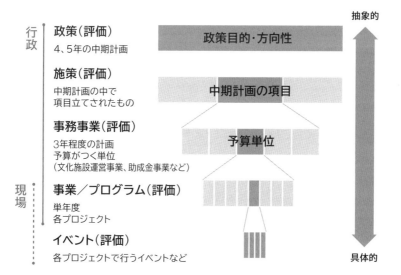

評価の４つの場面におけるコミュニケーション

　評価をコミュニケーションのハブ（結節点）ととらえてみると、異なる立場で文化事業に関わる人同士が、対話をする機会と言え、よい効果を生む可能性が見えてきます。現場は行政に対して自分たちの事業の意義を、行政側も理解できる言葉（数値によるデータを含む）で伝えられるようになり、行政も文化事業の価値を、上司や財務部署、何より市民が理解できる言葉（数値によるデータを含む）で、的確に説明できるようになるでしょう。

　次のページからは右図のように、事業の評価を、「評価設計」「指標検討」「データ収集」「結果の活用」という４つの場面に分けて見ていきます。各場面において、行政と現場が持つ評価に対する意識のズレを見るとともに、コミュニケーションの機会として、どのように評価を活用できるのか、ポイントを整理します。

　本章の記述は、文化事業の評価に携わる行政・事業実施団体・中間支援組織の職員、研究者、評価や文化事業の専門家など、18名へのインタビューをもとに作成しています。行政が主催する文化事業や指定管理者制度による事業もありますが、ここでは助成（補助）事業・委託事業において、現場と協働して実施されるものを主に見ていきます。

凡例 コミュニケーションの機会となる評価の場面

行政 本章における「行政」：
省庁や都道府県・市町村の自治体の文化関連部署の職員など

予算獲得のため、しっかり評価を
しなくては。でも、文化事業の
評価ってそれだけでいいのかな。

評価の4つの場面

評価設計	指標検討	データ収集	結果の活用
評価の目的、方法、スケジュール、予算を事業目的に沿って設計する場面	事業内容を検証するための指標を検討する場面	多様な方法で事業運営の内容や成果についてデータを収集する場面	集めたデータを分析し、その結果を戦略的に活用する場面

行政にも、現場で何が生まれて
いるか知ってほしい。それが伝わる
評価ができるといいのにな。

現場 本章における「現場」：
社会包摂を意識した芸術活動を実施する現場の人たち

※本章における「行政」「現場」が指す内容はP.53の図を参照

評価設計

評価の目的、方法、スケジュール、予算を事業目的に沿って
設計する場面。

行政

文化事業の評価って
どうしたらいいんだろう。

参加人数やアンケート
で満足度を測るくらい
しか思いつかないなあ。

評価の目的と方法

評価の方法を考える前に、評価の目的を
考えることが大切です。事業報告、事業
改善、アドボカシーへの活用など、目的
により評価の方法も異なります。

評価設計

評価はいつ設計する？

評価は、事業の一部と考えましょう。
事業を計画するときに、目的に沿って評価
の設計も行います。中間支援組織が、事業
計画の段階から相談にのる「伴走型支援」
によって、行政や現場への一貫したサポー
トが効果を上げている事例があります。

現場

評価って、事業が終わった
後にすることじゃないの。

課題を抱えた人や状況は多様なのに。
行政は彼らへ文化事業を行う効果を、
一率の物差しを当てはめて、評価する
つもりなの？

nice! 評価設計の場は、異なる立場の関係者が集い、事業目的に向かって活動する仲間づくりの機会となるでしょう。

現場には、事業をするだけじゃなくて、自己評価もちゃんとしてほしいな。

上司や財務部署からは、事業の正当性を数値で示すように言われる。
次年度の予算を取るためにもしっかり評価しないと。
でも、どうしたら…。

評価の場づくり

行政と現場や、事業に関係する多様な人たちが集まり、事業目的や評価の目的について、一緒に考え共有する場をつくることが重要です。

異なる利害が対立することもありますが、対話により合意できる点を探していきましょう。

予算獲得

財務部署への説明には、数値データが効果的なようです。しかし、資金提供側と事業の目的を共有することで、数値以外の定性的評価が重視された事例もあります。

文化事業の特性と評価

当初の事業計画から変化していくことは、アートではよくあることです。最初から決まった物差しを使うのではなく、現状に合う物差しを自分たちでつくっていきましょう。

事業の目的を決めると、計画通りに事業ができたか否かで判断されてしまう。

これをしたらこうなりますって、正解が決まっていないのがアートの良さなのに…。

2-4

評価を通したコミュニケーション

指標検討

事業のプロセスやアウトカムでの成果を検証するため、
何が指標となるかを検討して、指標をつくる場面。

行政

現場で自己評価をするとき
には、数値で測れる指標を
使ってほしいな。

指標検討

数値で測れる指標とは？
参加人数などのアウトプットをイメージしが
ちですが、アウトカムも工夫することで数値
でとらえることが可能な場合もあります。

事業の強みを生かした指標
自分たちの事業の強みを、指標として
言葉にできると、事業の意義を自分た
ちで説明することにも役立ちます。

現場

指標って、そもそも何…？
ふだんそんなこと考えて、
活動していないし。

事業をすると、事業の対象者だけじゃなく、
家族や運営スタッフ、参加者の家族などにも
変化が見られるよね。そういう変化は、
事業の成果って言えないのかな？

基礎編

nice! 指標検討において、自分たちの事業の意義や強みを言葉にすることは、活動内容をより具体化していく作業とも言えます。

事業に関わる多様な人たちのニーズを聞くと、意見をまとめることが大変そうだなあ。

社会包摂を意識した文化事業では、何を指標にできるんだろう。

指標検討の場づくり

事業を通してどんな変化が起こってほしいか、事業の対象者やアート関係者、運営スタッフなど異なる立場や領域の人と丁寧に対話をすることは、指標をつくる上で大切な過程です。

指標作成のアプローチ

まずは日常の記録を整理するなど、今、取れるデータは何か？ということを探ってみるとよいでしょう。

対象者へのまなざし

相手に対する関心と信頼をベースに、課題を抱えた人の力が発揮されるポイントなど、可能性への視点から指標をつくるアプローチができるとよいですね。

高齢の方との活動では、できないことに目がいきがち。もっとその人の良さを発見して、伸ばしていく視点から活動できるようになりたいな。

データ収集

アンケート、インタビュー、観察、参加者との会話など、多様な方法で事業運営の内容や成果についてデータを収集する場面。

行政

アンケートで取れることには限界があるなあ。

データ収集

何のデータを収集する？
1つの方法だけでなく、多様な方法でデータを集めてみましょう。

アート活動で起こる、思いがけないことについてもとらえられるように、日頃から事業の記録（日誌、会議録、写真など）を取り、アーカイブしておきましょう。それらの記録が、後で役立つかもしれません。

現場

とにかく本番では、アンケートを取っておいた方がいいよね？

nice! 個人的な感想ではなく、具体的なデータに
基づいて自分たちの事業の意義を説明
できるようになるでしょう。

文化事業の成果を、単年度
だけで見るのは難しいなあ。

集まったデータで、
どんな説明ができる
といいかな。

データ収集のスパン

複数年度にわたり評価を継続
することで、見えてくる成果も
あります。公募事業の枠組みを
工夫できるといいですね。

データの意味をとらえる

定量(数値)／定性(テキスト)データ
に関わらず、得られたデータの意味
を、文脈の中でとらえ、説明できる
ことが大切です。

専門家とのパートナーシップ

評価の専門家、中間支援組織などと、評価
を行うパートナーとしての信頼関係が築け
るとよいですね。
一見、データ化が難しいアウトカムに対し
ても、専門家と一緒に指標をつくり、データ
を収集できている事例があります。

アートのデータ!?

言葉にできない、答えがないと言われ
るアート活動のデータを取ることは、
クリエイティブな作業だと言えるで
しょう。作品の質だけでなく、アートで
生じる人や状況の変化に目を向ける
と、ヒントが見つかるかもしれません。

評価する人が来た。
何をもって私たちの良し
悪しを決める気なの?

社会包摂を意識した
アートを評価する
ためのデータって?

結果の活用

報告書作成や事業の内容・運営方法の改善、市民に対する文化事業の価値伝達などに向け、戦略的に評価の結果を活用する場面。

行政

上司や財務部署への説明も、報告書をもとにしっかりできて、よかった。
報告書は行政のホームページにも公開したぞ。

結果の活用

結果の戦略的な活用
評価をすることや報告書を書くことが、目的になっていませんか。評価の結果、集まったデータを、どう使うのかという戦略を描くことが大切です。

相手に合わせた報告
事業の成果を、一番伝えたい相手は誰ですか。

記述内容の選別や表記の工夫、イラストを使うなど、相手が理解できる形で伝える努力が大切です。

現場

私たちの活動の良さって、なかなか伝えることが難しいなあ。特に行政が相手だと、本当に難しい。

／ *nice!* 評価の結果を多様な人たちに伝わる形で届けていくことで、アドボカシーにつながるでしょう。

この事業内容は、現在の社会状況に合っているのかな？わからない…。

文化事業の価値を、市民にわかりやすく伝えたいな。

やめるための評価!?

評価によりやめる判断をすることで、事業の新陳代謝を促し、新たな発展につなげるという視点もあります。

コミュニケーションのハブ（結節点）

評価は、行政と現場、行政と市民、行政内部、関係団体や専門家など、事業に関わる多様な人たちの間に、共通言語を与えるツールとなります。

事業改善・発展に生かす

評価はサイクルです。事業が終わったら、関係者で振り返りを行い、事業の改善・発展に生かしていきましょう。

文化事業の価値を、相手に適切な形で伝えられる人材の育成は、ともに生きる社会の実現に向け、活動を推進するための土壌づくりにつながるはずです。

行政に報告書を出しても、反応がないし、あっても遅いな。フィードバックを受けて、次年度の事業改善に生かしていきたいのに。

活動の意義を知ってもらって、共感したり、協力してくれたりする人を増やしたいなあ。

まとめ

　社会包摂を意識した文化事業の評価と他領域の評価とは何が違うのでしょう。評価の仕組み自体には大きな違いはないかもしれませんが、評価に取り組む人の意識には少し違いがあるようです。評価というと、できるだけ多くの人の傾向を客観的にとらえる必要があると感じがちです。しかし、社会包摂を意識した文化事業においては、プロジェクトのアウトカムとして「○○さんがこんな風になる」と、事業の対象である個人の顔を思い浮かべることがよくあるようです。このような、1人ひとりに生じる良い変化の大切さを、関係者のあいだで認識し共有しておくことは、プロジェクトの方向性を誤らないための布石となるはずです。

　本章では、異なる立場で事業に関わる人同士が、コミュニケーションを行えるハブ（結節点）として評価をとらえ直しました。そして、現場と行政の関係を例に、事業の運営・改善・発展に、評価を生かすためのポイントを見ていきました。社会包摂を志向した芸術活動を推進していくには、異なる立場や領域の人たちが関係し、協働することが大きな力となります。評価をハブとして対話を促すことで、異なる視座を持つ関係者のあいだに共通言語が生まれます。評価は、事業の対象となる課題や目指す未来の社会の姿を仲間たちと考え行動していくときに、理想を現実化する後押しをしてくれるでしょう。

研究協力者

2019年5月～2020年2月に実施したインタビュー調査や公開研究会で協力いただいた方々のお名前です。なお、所属・役職は調査時のものです。

岡部太郎	一般財団法人たんぽぽの家 常務理事
落合千華	ケイスリー株式会社 取締役・最高知識責任者、慶應義塾大学政策・メディア研究科研究員
鬼木和浩	横浜市文化観光局 文化芸術創造都市推進部文化振興課 施設担当課長(主任調査員)
柿塚拓真	豊中市立文化芸術センター 日本センチュリー交響楽団
片山正夫	(公財)セゾン文化財団 理事長
日下菜穂子	同志社女子大学現代社会学部 教授
杉浦幹男	アーツカウンシル新潟／アーツカウンシルみやざき プログラムディレクター
杉崎栄介	(公財)横浜市芸術文化振興財団 広報・ACY グループ
中西美穂	大阪アーツカウンシル 統括責任者
藤井昌彦	東北大学医学部 臨床教授
藤岡泰寛	横浜国立大学大学院 都市イノベーション研究院(建築学教室) 准教授
三浦宏樹	(公財)大分県芸術文化スポーツ振興財団 参与、大分経済同友会 調査部長
源由理子	明治大学公共政策大学院ガバナンス研究科 教授、明治大学プログラム評価研究所 代表
湯浅真奈美	ブリティッシュ・カウンシル アーツ部長
吉田隆之	大阪市立大学大学院都市経営研究科 都市政策専攻 准教授
吉本光宏	(株)ニッセイ基礎研究所 研究理事・芸術文化プロジェクト室長

このほかに、文化庁の職員2名の方々にもご協力いただきました。

第2部の記述で参考にした文献やWEBサイトです(URLは2021年5月時点)。なお、第2部は『評価からみる"社会包摂×文化芸術"ハンドブック』(九州大学大学院芸術工学研究院附属ソーシャルアートラボ、2020年)に基づいています。ただし、P.76-77は大幅に改訂。

■日本語文献

① 岸政彦、石岡丈昇、丸山里美 (2016)『質的社会調査の方法―他者の合理性の理解社会学』有斐閣

② 佐藤郁哉 (2002)『フィールドワークの技法―問いを育てる、仮説をきたえる』新曜社

③ 中村美亜 (2019)「芸術活動における共創の再考―創造とエンパワメントのつながりを探る」『共創学』1、31-38.
(https://nihon-kyousou.jp/cocreationology/vol1_no1/Cocreationology_1-1-6.pdf)

④ フェターマン、ワンダーズマン編著 (2014)『エンパワーメント評価の原則と実践―教育、福祉、医療、企業、コミュニティ介入プログラムの改善と活性化に向けて』笹尾敏明監訳、玉井航太、大内潤子訳、風間書房

⑤ 藤井昌彦、前田有作、金田江里子、佐々木英忠 (2018)『認知症情動療法』芳林社

⑥ 藤井昌彦、佐々木英忠 (2017)「認知症は治療可能な疾患か?―BPSDの情動療法から見た考察」『日老医誌』54,114-118.
(https://www.jstage.jst.go.jp/article/geriatrics/54/2/54_114/_article/-char/ja/)

⑦ 堀公俊 (2004)『ファシリテーション入門』日経文庫

⑧ 源由理子 編著 (2016)『参加型評価―改善と変革のための評価の実践』晃洋書房

⑨ 安田節之 (2011)『プログラム評価―対人・コミュニティ援助の質を高めるために』新曜社

⑩ 山内祐平、森玲奈、安斎勇樹 (2013)『ワークショップデザイン論』慶応義塾大学出版会

⑪ ロッシ、ピーター、マーク・リプセイ、ハワード・フリーマン (2005)『プログラム評価の理論と方法―システマティックな対人サービス・政策評価の実践ガイド』日本評論社

⑫ ワイス、キャロル(2014)『入門 評価学』佐々木亮監修、前川美湖、池田満監訳、日本評論社

■英語文献

⑬ Belfiore, Eleonora. (2002) Art as a means of alleviating social exclusion : does it really work? A critique of instrumental cultural policies and social impact studies in the UK. *International Journal of Cultural Policy,* 8 (1), 91-106.

⑭ Belfiore, Eleonora. (2010) Beyond the "Toolkit Approach": arts impact evaluation research and the realities of cultural policy-making. *Journal for Cultural Research,* 14(2), 121-142.

⑮ Belfiore, Eleonora and Oliver Bennett. (2008) *The Social Impact of the Arts : An Intellectual History.* Basingstoke : Palgrave Macmillan.

⑯ Blanche, Rachel. (2018) Redefining notions of quality in participatory arts. *Arts Management Quarterly*, 128, 12-19.

⑰ Contandriopoulos, D.,& Brousselle, A. (2012) Evaluation models and evaluation use. *Evaluation*, 18(1), 61–77.

⑱ Matarasso, Francois. (2013) Creative progression: Reflecting on quality in participatory arts. *UNESCO Observatory Multi-Disciplinary Journal in the Arts*, 3 (3), 1-15.

⑲ Meyrick, Julian, Robert Phiddian and Tully Barnett. (2018) *What Matters? Talking Value in Australian Culture*. Melbourne: Monash University Publishing.

⑳ Meyrick, Julian, Tully Barnett and Robert Phiddian. (2019) The conferral of value: The role of reporting processes in the assessment of culture. *Media International Australia, Incorporating Culture & Policy*, 171 (1), 80-94.

■事業報告、WEBサイト

㉑ アーツ・コンソーシアム大分「平成30年度アーツ・コンソーシアム大分構築計画実績報告書『文化と評価ハンドブック』」
（https://www.pref.oita.jp/uploaded/life/1056591_2471134_misc.pdf）

㉒ 北九州芸術劇場「事業評価調査報告書」(http://q-geki.jp/aboutus/history.html#report)

㉓ ケイスリー株式会社コラム「障害者による芸術文化活動から『バリアフリー』を考える」
（https://note.com/k_three/n/n86f3bd5bec31）

㉔ 障害とアートの相談室（一般財団法人たんぽぽの家）
「障害のある人のアートと評価　あなたの『ものさし』聞かせてください！」
（https://artsoudan.tanpoponoye.org/wp/wp-content/uploads/2017/05/monosashi_web.pdf）

㉕ 地域創造「公立文化施設における政策評価等のあり方に関する調査研究－公共ホール・公立劇場の評価指針」(https://www.jafra.or.jp/library/report/18/）

㉖ 東京文化会館「高齢者向け音楽ワークショップの検証 ［平成30年度］」
（https://www.t-bunka.jp/cms/wp-content/uploads/2019/06/180314_Senior-ws_japanese.pdf）

㉗ 文化庁「文化政策の評価手法に関する調査研究」
(https://www.bunka.go.jp/tokei_hakusho_shuppan/tokeichosa/bunka_gyosei/pdf/bunka_houkoku.pdf)

㉘ 琉球フィルハーモニックオーケストラ「文化庁主催バリアフリー公演『美らサウンズコンサート』開催」(http://bit.ly/2Fnz1cX)

3 シンポジウム編
現場の評価と行政の評価

第3部 シンポジウム編
現場の評価と行政の評価

第3部では、シンポジウムの議論を通して、事業実施現場と行政の双方における評価の課題について理解を深めましょう。次ページからの記述は、下記のシンポジウムでのやりとりを編集したものです。

「文化事業の評価——現場×行政 それぞれの視点をつなぐ」

日時：2019年9月25日（水）15:00-18:00
会場：ワイム貸会議室お茶の水（東京）

　　　ゲスト： 片山正夫（公益財団法人セゾン文化財団 理事長）
　　　　　　　源由理子（明治大学公共政策大学院ガバナンス研究科 教授）
　　　司　会： 朝倉由希（文化庁 地域文化創生本部 総括・政策研究グループ 研究官）

3 現場の評価と行政の評価

❶ 文化事業における評価の現状と課題　　　　　大澤寅雄

評価とは？

　あらためて「評価」ってどういう意味だろうと思って国語辞典で調べると、①品物の価格を決めること、またその価格、値踏み、②事物や人物の善悪美醜などの価値を判断して決めること、③ある事物や人物について、その意義、価値を認めること、という３つの意味合いが出てきます。私が評価に関わるときにいつも大事にしたいと思うのが、この３番目の意味です。

　評価の対象となる文化活動に、どんな意義があるのか、どんな価値があるのかということを説明したい、わかっていただきたい。その上で、より良い事業にするにはどうすればいいのか、予算が適切なのかという話に進んでいけばいいんじゃないか。どうしても評価というと、評価する側、評価される側という立場が発生しますけれども、それぞれの立場から見て「私はこれが大事だと思うよ」と対話をするために評価を使えれば、もっとその活動の意義や意味が多角的にわかるんじゃないかと思うんです。

　もう１つ大事だと思うのは「成果」って何だろうということ。助成主体が何件助成しました、予算はいくら投入しましたというのは、成果とは言いません。助成した事業が、その受益者や関係者、地域の人たちに、何らかの影響を及ぼし、市民が「なるほど、いいことやってるね」と支持する。そうすれば成果が循環する。だから、それぞれのステークホルダーの間に生まれるものをどうとらえるかということが大事だと思っています。

評価への関心の歴史

　さて、現在のように評価が求められはじめたのは、いつ頃でしょうか。もう20年ぐらい前になりますが、1999年にPFI法（Private Finance Initiative）

3

現場の評価と行政の評価

というのができました。民間資金等の活用による公共施設等の整備等の促進に関する法律です。これ自体は評価とは関係ないのですが、その中に、民間の能力を最大限に引き出すことで「バリュー・フォー・マネーを生み出す」という考え方が生まれたわけです。国や自治体の財政の健全化を背景に生まれたものと言えます。

　同じように行財政改革の流れで、指定管理者制度が2003年に施行されました。この指定管理者制度も、公の施設の管理の民営化を促す動きがあったわけですけれども、そういう流れでも徐々に評価が求められるようになりました。

　2009年には、いわゆる「事業仕分け」がありました。民主党への政権交代のときに、行政刷新会議で「仕分け人」と言われる方々から、文化庁や独立行政法人日本芸術文化振興会の事業に「成果を具体的に評価すべきだ」、「評価方法を改善するまで削減すべきだ」といった厳しい意見が出されたんですね。このとき、何を評価としてとらえるべきなのか、文化事業によって得られる成果って何なのか、これまで私たちは丁寧な説明をしてこなかったんじゃないか、と思ったことを私は鮮烈に覚えています。

　この後、日本国内にアーツカウンシルの設立が相次いだわけです。日本芸術文化振興会の芸術文化振興基金にアーツカウンシルが設置され、今、各地で地域アーツカウンシルが開始されたり検討されたりしていますが、もともとこの設置の機運が高まったのは「事業仕分け」の反省、つまり、誰がどう評価するのかということからはじまったんじゃないかと思います。

評価の副作用

　最後に、慣習的に文化事業で使われている指標について、少し考え直してみましょう。文化施設では「入場率」ということをよく言うわけですが、なぜ客席数を分母にして、入場者数を分子とするのか、そこに必然性はあるのでしょうか。「収支バランス」というのも、収入は入場料収入や事業収入など比較的わかりやすいのですが、支出に関しては、何を支出に含めるのか含めないのか、考え方や定義が曖昧なこともあります。それで評価されてもどうなんだろうと疑問に思いませんか。

シンポジウム編

131

　最近では、文化庁の事業を自己評価する際に「経済波及効果」も求められます。僕も頼まれて経済波及効果を算出しますけど、最終需要にどの支出科目を含めるのか、ルールが提示されていないので、個々の団体の積算方法が違っていてもいいのか、信頼性のある数値になるのか、大きな疑問です。例えば「観客消費支出」はイメージしやすいけれども、観客消費支出の飲食やお土産、交通費、宿泊費など、どのような試算条件や推定値で、どのくらい丁寧に算出しているのか。算出するのはいいけれども、算出根拠を揃えていなくていいのかと感じます。

　このような評価に迫られて、困っている現場をよく知っています。いつも思うのが、評価をやることによって副作用が生まれているんじゃないかということ。評価すればするほど、低予算で集客できる企画を選択する。リスクのある企画はやめて、できるだけ知名度の高いアーティストを選び、券売ルートがわかっている企画にして、近視眼的な事業計画しか立たなくなる。そうなると、評価をすることが中長期的な事業全体の改善や発展には貢献しなくなる。

　この数年、評価の方法はどんどん高度化しています。しかし、必ずしも事業の目的に適した評価指標が設定されていないんじゃないか。評価が現場のエンパワメントにつながっていないんじゃないか。むしろ現場では評価疲れ、評価アレルギーを生み、スタッフのモチベーションの低下を招いているんじゃないか。事業評価と政策評価のPDCAサイクルは、本当に良好に循環しているんでしょうか。

❷ インタビュー調査から見えてきたこと　　　　村谷つかさ

調査概要

　「評価はしているけれど、それがどう役に立っているかわからない」という声をよく耳にします。そこで、私たちは事業評価と政策改善の接続に着目して、インタビュー調査を実施しました。インタビューでは、行政、事業実施現場、中間支援組織、評価学や文化政策を専門とする人など12名にお話を伺いました。1人2時間程度の半構造化インタビューで、全員に芸術文化や評価との関わり、

事業評価や政策評価という用語の使い方、事業評価と政策改善のつながりについてお尋ねしました。ほかにも、対象者の専門に合わせた質問をしていきました。以下では、インタビューによって得られた情報を整理してお伝えします。

評価のレイヤー

　行政において評価は、いろいろなレイヤーで行われていることがわかりました（図1参照）。「政策」というのは、日本では一般に4、5年の中期計画のことを言うようです。政策の目的や方向性を示していますが、文言が抽象的なのでこれに対する評価は通常行われていません。「施策」は、政策の内容をもう少し具体的にして、個別の項目として示したものです。それを具体的に事業化したものが「事務事業」です。だいたい3年のスパンのもので、予算がつけられる単位を指します。それから、個別の「事業／プログラム」、そしてその中に「イベント」がある。おそらく行政職でない人たちは、「事業評価」というと「事業／プログラム」や「イベント」の評価をイメージする方が多いのではないかと思います。

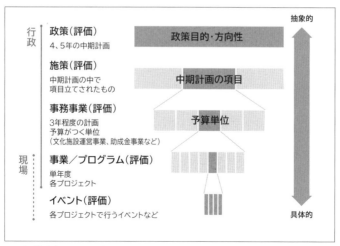

図1【公的事業における評価の階層】＊インタビュー調査の内容を参考に作成（→P.111）

先ほどお話したように、事業実施現場では、「事業／プログラム」の評価が、「事務事業評価」や「施策評価」へと反映され、政策が改善されると期待している人も少なくないようですが、実際には、政策全体が体系的に評価されるようにはなっていないことがわかりました。例えば、政治家など有力者が「こういうイベントをやりたい」と言ってきたときに、そのイベントができるように、施策とは関係なく事務事業や施策が設計され、事業／プログラムが実施されることがあるといいます。政策の評価の前に政策が体系的に機能していないのです。

評価目的の混在

評価の目的がいろいろと混在していることもわかりました。まず、誰に向けた、何のための評価かを分類すると、助成先に向けて事業をきちんとやりましたと言う「説明責任」の評価、自分たちの事業をより良くしていくための「改善」の評価、社会に向けて社会的意義を発信していく「アドボカシー」の評価というのがあります。次に、何を対象にした評価かを分類すると、事業／プログラム、アウトプット（作品の質、参加者数など）、事業の社会的価値というものがあります。

こうして目的が混在する中で、事業実施現場では、顧客が満足するか、芸術的に評価の高い作品づくりができたかが重視される傾向にあります。一方行政では、税金を使う意味があるのか、予算が適切に使われたかをチェックすることが重んじられるようです。また、行政では文化事業の評価の基準が曖昧で、担当者個人が持つ価値観によって判断されることもしばしばあるとのことでした。これは、例えば福祉だったら「○○に対して困っている人の数が、△△だけ減った」と言うように、評価する基準がわかりやすいですが、文化ではそういった基準がないことが要因となっています。

さらに、行政の職員は数年ごとに部署の異動があるのですが、業務の引き継ぎはファイルを渡すだけということも少なくないようです。そうなると、まったく違う部署から異動してきた担当者は、事業の目的がよくわからないまま、自分の想像で事業／プログラムの企画をして募集をかけることになってしまう。その結果、目的が曖昧なまま、申請書や報告書の様式がつくられたり、現場に対して目的の説明がないまま事業が実施されたりという事態が起こることも見えてきました。

評価の利点

　一方で、評価を、さまざまな立場の人たちが一緒になって事業について考える「コミュニケーションの機会」として活用できれば、有益なものになることがわかりました。事業実施現場の人にとっては、事業の社会的価値を考える機会になったり、行政の人にとっては、現場の思いや実際の状況を知って「これからどうしていくか」と考える機会になったりする。そういった行政や現場など異なる立場の人たちが集まり、課題を共有して評価ができた場合は、事業評価が政策の改善へとつながることもあり、日本にも少ないながらそのような事例があるようです。評価は、異なる立場の人たちの間をつなぐ「翻訳」のような役割を果たすという話もありました。

❸ 評価への向き合い方に関する提案　　　　　　中村美亜

　私からは、インタビューでの話やこれまでの研究の知見をもとに、いくつかの提案をしていきたいと思います。行政など資金提供者向けの提案が多くなります。

評価の選択集中

　まず最初の提案は、丁寧にやるものとそうでない事例を分けた方がいいんじゃないか、というものです。事業のすべてで評価を一生懸命やると疲れてしまいます。一方で萌芽的な少数事例については、専門家にも入ってもらって、最初の段階から時間をかけて重点的に評価を行ってはどうかと考えました。建築計画の分野では、萌芽的な事例に焦点をあて、発展性や応用性があるかどうかを評価し、そうだとわかれば政策につなげていくことをしているそうです。実際そうした中から、特別養護老人ホームでは、相部屋じゃなくて個室にするように制度化されたと伺いました。文化の場合も、そういうことをもう少しやったらいいんじゃないかと思います。

コミュニケーションの場を設ける

　次の提案は、公募内容の説明会や、企画相談会、実施中の情報共有や

意見交換の機会は必ず設けるという
ものです。募集要項をつくって終わり。
それを見て考えてやってくださいとい
うところが多くあります。でも、それだと
コミュニケーションが生まれないんです
よね。そもそも評価というのは、人と人の
間で生まれるものです。成果も同様に、
人と人の間で生まれることです。なので、コミュニケーションをしっかり取って
いくということが重要です。考えてみれば、事業というのは、資金提供者と事
業実施者の共同作業なんですから、両者がコミュニケーションを密に取るの
は当たり前です。頑張っているところだけがするのではなく、そういうことをする
のが当たり前という状況にならないといけないと思っています。

募集要項、申請書、報告書の改善

3つ目の提案は、書式に関することです。アウトカムベースのプログラム設計
が大事だと言われています。そうだとすれば、募集要項の内容とか、申請書や
報告書の書式も当然そうなっているべきだと思います。今ある書式には、何を
目指せばいいのか、何のためにやるのかがわかりにくいものが少なくありませ
ん。そういう場合は、資金提供者に質問をし、改善してもらうよう要望を出して
いく必要があると思います。評価をしろと言われても、何を評価したらいいか
がわからないなら、できないのは当たり前だと思うんですね。

また、文化事業の場合は、やりはじめてみたら、もっといい他の方法があっ
たということがよくあります。そうだとすると、事業が途中で変更できる制度に
なっていること、変更についてコミュニケーションできる体制になっていること
が重要になってきます。それから、数字を求めるのであれば、数字の根拠も
説明できるような書式になっていることも大事だと思います。

報告書の書き方については、サステナビリティを扱う「GBI」(グローバル・レ
ポーティング・イニシアティブ)が参考になると、オーストラリアの研究者から
教えてもらいました。日本語版もあります。そこでは、ポジティブな面だけでなく、

3

現
場
の
評
価
と
行
政
の
評
価

シ
ン
ポ
ジ
ウ
ム
編

ネガティブな面も記載しないといけないとされていたり、「比較可能性」というのがあって、「ステークホルダーが組織のパフォーマンスの経年変化を分析でき、他の組織と関連させた分析が要因になるような形で提示しなければならない」と書かれていたりします。つまり、「よかった」とだけ言うんじゃなくて、それは去年よりどのようによかったかとか、他の類似の取り組みよりも、こういう点でよかったとか書かなくてはならない。こういう文章の方が、闇雲に数値で示すよりも、よほど実があると思いますね。

評価の専門家の役割

4つ目は、評価の専門家の活用です。評価というのは慣れないと難しいので、評価の専門家に手法や指標についての相談にのってもらったり、情報提供をしてもらったりする必要があると思います。どこにでも、いつでも通用するユニバーサルな評価方法ってないんですね。そうだとすると、どんな方法が適しているかを考えるのが重要になってきます。

健康分野のある論文に、面白い記述がありました。事業の意義が社会的に合意されているものと論争的なものでは、評価の方法が違うっていうんです。例えば、もし事業の意義が社会的に合意されているのであるならば、伴走型の評価（エンパワメント評価）が効果的である。その一方で、社会的な意義があるかどうか意見が分かれる事業に関しては、いろんなステークホルダーが入って議論する参加型評価や、ロジックモデルを使ったインパクト評価が適している。ですが、インパクト評価は、プログラムの企画者にとっては有益だけど、事業の運用者や利用者にとってはあまり益はないので、社会的な意義について合意が得られている場合は「評価のための評価」（無駄な評価）になってしまう危険性がある。また、マネジメント評価は、活動意義が社会的に合意されていようと論争的であろうと、いずれの場合も有効である。

このように、今やっている事業の社会的意義が広く認められているかどうかと、誰が評価を必要としているかを考えることで、評価の方法が変わってくる。具体的な状況を専門家に相談をすることで、どんな方法を採用するといいかがわかるようになると思います。

　ところで、文化事業の評価では、誰かが評価したら、もうそれで良しとしてしまう傾向にあるんですが、本当にその評価が正しかったかを専門家が検証することも必要だと思います。そうしないと、素晴らしいことをしていたのにあまり評価されないとか、大したことをしてないのにいい評価を受けるという、おかしなことが起こってしまいます。

文化事業の公共性

　最後に、今回の作業を通して私が思ったのは、問題の本質は、実は、評価とは違うところにあるということです。評価のやり方はいろいろあるので、それを使ってうまくやっていけば何とかなる。だけど、なんとかならないのは、文化事業の社会的な価値をどうとらえるか、目的や目標をどう設定するか、そして、公共性がどこにあるか、ということです。

　また、文化事業に関しては、これまでアドボカシーやロビー活動（政策に影響を及ぼすことを目的として行う私的な政治活動）がほとんど行われてこなかったのですが、やらなきゃいけないんじゃないかと思いました。評価とはある程度切り離して、議員や行政の人たちに働きかける活動も必要だと。それをしないと、いくら優れた評価をしても、その結果について理解してもらえないからです。

❹ ディスカッション
片山正夫、源由理子、朝倉由希、大澤寅雄、中村美亜、村谷つかさ

行政の評価とは？

片山 ― 本来、事業評価っていうのは、1つは、外部に対して説明するという目的、もう1つは、事業とかプログラムをより良いものにしていくっていう目的、他にもあるとは思いますが、大きくは2つありますよね。しかし行政の評価っていうのは、説明するための評価に偏ってしまっていて、評価をすることで事業を良くしようとか、あるいは政策を洗練させようという情熱をあまり感じたことがないんです。ですから、先ほど

「行政の評価はチェックだ」っておっしゃっていましたが、その通りなんですよ。じゃあ、「チェック」は何のためにするかっていうと、これは申し開きのためにしているわけです。助成金を出したものがどうなっているかと聞かれたとき、出しっぱなしではなくちゃんと見ていますよということ。一般市民への説明というより、どちらかというと財政当局への説明という感じです。

よくあるのが、事業がずらっとリストのように並んでいて、それぞれについて、成果がどうだったかを記入するタイプの評価フォーマットです。文化プロジェクトとか、アートプログラムっていうのは、全く成果が何もないってことはありえないんです。何かは必ずあるんですよ。どんなにつまらないものでも。ですから、そのフォーマットを使っている限り、事業をやめるってことにつながらないんです。やっぱり良い事業は残し、期待通りでなかった事業はやめることによって、全体的に良い政策になっていくわけです。こういう非営利のプログラムっていうのは立ち上げることより、やめることの方がずっと難しいですからね。

アメリカで取材したときに、印象深かったのは「評価って何のためにあると思う？」って言われて、「何のためですか？」って聞いたら、「何かをやめるためだよ」と言われたことです。つまり、適切にやめるということが、活性化につながるとても重要なことなんですね。行政の評価では、これができないフォーマットに最初からなっている。

大澤 ─ 「どうやめるか」という視点は大事だと思います。現実には、適切ではないやめ方が多すぎる。コスト・パフォーマンス、コスト・ベネフィット、バリュー・フォー・マネーばかり重視して、「成果が見えにくい」ということを、やめる理由にしてはいけないと思うんですよね。でも、「何かをやめるための評価」という考え方も、可能だと思います。何か目標をあらかじめ

現場の評価と行政の評価

シンポジウム編

3

139

設定して走り出して、ここまで来たんだから、次の段階へのステップに入るべきで、だから別の支援方法や支援先を模索することが重要だ、という判断。査定的な意味合いで「やめる」のではなく、エンパワメントする意味で、次に進むためのやり方として、大事な気がしてます。

源 ― 私も、事務事業評価だけでは必ずしも政策は改善できないと思っています。私の授業に来ている公務員の方々で、評価は重要なんだけど、評価作業は好きではないと言っている人もいます。個々の活動レベルのデータだけ集めてもどう使えるのか。自治体の中から、政策の質の改善になるような評価をしたいという要望も出てきていて、あるところでは、地域の人たちとの参加型の評価や政策を体系的にとらえる評価をはじめています。

政策というのは本来、複数の事業を通して、社会的な変化、あるいは社会的課題の解決につなげていくのかが重要なので、そのためには個々の事業や活動を手段とした政策の体系化っていうものが必要なんです。例えば、生きづらさを感じている人々を孤立させないような社会にする、という政策目標があるとします。それは孤立している人だけじゃなくて、おそらくそれを取り巻く社会の人たちも含めての変化ですよね。これがアウトカムで、そのために、どういう事業をしていったらいいのかっていう戦略づくりが必要になる。どういう事業が効果的かいろいろやってみて、効果がないものからやめていけばいいんです。要するに選択と集中。でもそのためには、アウトカムを共有するのがすごく重要なんです。

でも行政の事業リストは、そういう政策体系に必ずしもなっていない。なぜならば、予算を取るということが、第一の目的になっているからです。行政の縦割りで考えると、前年度よりも予算を減らされないようにすることが重要になる。でも、政策体系がないと、政策の質の改善はできないんです。

政策評価、行政評価の法律ができたのは2000年です。背景は財政難です。なので、事務事業評価というのは予算を無駄なくちゃんと使ったということを示すこと。それももちろん大事ですが、それだけでは政策全体の評価につながっていないというのは、まさにおっしゃっていた通りだと思います。

参加型評価とは？

源 ― 参加型評価では、ステークホルダー、関係者がみんなで一緒に、どういう地域を目指しているんだろうかというアウトカムの議論からはじめます。それからプロセスも重要です。特

にプロセスでは、現場の人とか実践家の意見がすごく重要なんですよ。現場で活動しているからこそわかる暗黙知を可視化すると、それが共通言語として使えるようになる。ですから、どういう変化（アウトカム）を目指すために、どういう組み立て（プロセス）で事業をやるのかという、最初の段階の形成がすごく重要になります。これは別に行政だけではなく、皆さんのやっている事業もそうだと思うんですね。

行政の視点で言えば、まず政策体系を一緒につくっていくことがすごく重要です。そういう意味では、計画（政策や事業の設計）の評価がすごく重要だと思っています。それとプロセスの実施途中でいろいろ問題が出てきたり、新しいアイディアが出てきたりするじゃないですか。それを常に政策のロジックに反映させていく。それが重要です。

大澤 ― おっしゃった通り、評価は計画の段階からはじめるべきだと、常々思います。でも、計画は変わっていいって思うんですよね。行政では、往々にして計画を変更することは評価を下げることになりますが、計画通りにやるのが優れた事業かというと、文化事業は必ずしもそうじゃないと思うんです。

中村 ── 事業を評価をするときには、評価の専門家にファシリテーターとして入ってもらう人がいると、やっぱり違うんじゃないかと思います。その一方で、皆が皆、評価しなきゃいけないっていうのも違うんじゃないかなと思っています。文化事業の現場にいる人の中には、そんなことに時間を割きたくないと思っている人も少なくないと思うんですね。

よく私が例として話すことなんですけど、道路を舗装する工事の人に、「その工事で社会が良くなったか評価しなさい」って言うことはないと思うんですよね。事故がなくなったとか、地域の人たちのウェルビーイングが上がったっていうのを評価するのは、工事現場の人ではなく、別の人だと思うんですよね。さっきの建築計画の話も、高齢になった人たちの居住空間を評価するのは、建築士や施設の人ではなくて、専門家です。

文化事業では、事業者側に自分たちのやっていることの社会的価値を説明しろというプレッシャーがかかる。でもこれはおかしいことだと思うんです。事業者ではなくて、行政が第三者的な人たちと組んで、その人たちにファシリテーターとして入ってもらって、実施者やいろんなステークホルダーと社会的価値がどうかっていうことを考えていかなきゃいけない。それを事業者に押しつけるのは筋違いじゃないかと思うんです。評価はみんなでしようっていうのは美しいんだけど、もう少し割り切りも必要で、文化事業の社会的な価値を言いたいのであれば、予算をつけて、そのための活動をすべきだろうと。

片山 ── 私は、事業をやっている人に、「どういう指標であなたの活動を評価したらいいと思う?」と聞くことは、とても意味があることだと思っているんですね。それによって、彼らがふだんどういうことに価値をおいてやっているかっていうのがわかるし、面白い対話が引き出せることも多いから。

ずいぶん前だけども、事業評価の仕事で、ヨーロッパのある国にお邪魔して、その国の大使とお茶を飲む機会があったんですね。

その時、「大使のお仕事をもし評価するとしたら、どんな指標で評価するとよいと思われますか?」と聞いたら、その大使が「そうだね、やっぱり離任式に何人来てくれたか、かな」って。僕は感心したんです。「座布団一枚」と、つい言ってしまうぐらい素晴らしい答えだと思ったんですね。

文化事業にしても、大使という仕事にしても、直接物差しをあてるわけにいかない。でも、木が高すぎて直接測れないから影を測ってそれに代えるように、何かを代わりに測ることはできる。それと大事なのは、「離任式に何人来てくれたか」っていうのは、その大使が自分の仕事をどういうものとしてとらえているかがわかる指標だということです。当事者ならではのこうしたクリエイティブな発想も大切だという意味で、被評価者に「あなたはどんな指標で評価されたらいいと思いますか」と聞くのは極めて有効だと私は思っています。

源 — 実際にやっている人がどうとらえるかってすごく重要ですね。もちろん、必ずしも自分たちで社会調査をして、統計分析しようと言っているのではありません。6年前に参加型評価を導  入した兵庫県豊岡市の事例では、統計分析もやっている部署がありますが、アウトカムの指標は、自分たちがどういうものを目指したら良しとするのかということを関係者と議論しながらつくっています。プロセスの指標も、自分たちが一番よくわかっているから、自分たちでつくっていく。そういうのが現実的だろうって思います。あとは費用の問題ですよね。評価で必要な費用の助成金をつけてほしいんですけど。

片山 — アメリカの助成財団では、「自己評価料込み」で助成金を出すこともあります。助成額に対して何%が適切な評価コストなのかっていう議論も、昔よくやっていましたね。3%とか5%とか、そのくらいが適切だろうという意見が多かった。

朝倉 ― 実施するにあたって評価も必要だっていうことを考えれば、それが費用に含まれるっていう考え方になるんですけど、なかなか今の日本はそういう現状にないんじゃないかって思います。

どうやって合意形成するか?

朝倉 ― アウトカムが大事で、それを多様な関係者で、合意形成してつくっていくというのが理想的な形としてあるとすると、じゃあ具体的にどうしていったらいいのか。実際にそういうことができている例が、文化でも文化以外でもあれば、具体的にお話しいただければと思うんですけれども、いかがでしょうか。

大澤 ― 神戸の新長田というエリアで『下町芸術祭』というプロジェクトがあるんですけど、そこの実行委員会に文化事業の評価の専門家として呼んでいただき、実行委員のメンバーであるDANCE BOXという劇場のスタッフさんや地域の人たちを交えて、下町芸術祭をどのように評価すればいいのかを考えるワークショップをやったんです。4時間ぐらいかけて。

ロジック・モデルという手法を使いながら、この芸術祭が生み出すアウトプット(結果)は何だろう、達成したいアウトカム(成果)は何だろう、地域にどんなインパクト(影響)があるだろう。それを指標にするとしたら、どういう数字が適切かな。それを、割り算したり掛け算したりして、何か数値化できる評価指標を頑張って考えてみよう。自分たちで「これを達成できたら、芸術祭をやって成功だ」と言える指標を見つけ出そうと。

でも、なかなかまとまらなかったんです。4時間話してもわからない。みんなが「これはアタマ使うわ〜」と言って。最終的には、「ウチらにしかない評価指標をつくろう。ほかの芸術祭にはない、けったいな

指標をつくろう」と言った。これは僕にとって、すごく素敵な結論だなと思いました。芸術祭は日本各地にいくらでもあるんです。ほかの芸術祭と比較できる評価指標もあるでしょう。でも下町芸術祭では「俺たちはこの評価指標で俺たち自身を評価したい」と。それが、他にはないような「けったいな評価指標」でいいじゃないかっていう話に至ったことが、良かったなと思いました。

中村 ── その話をもう少し詳しくお聞きしたいんですが、そういう場を持つタイミングはいつなんでしょう。例えば、マイナーな例ですが、福岡県に『糸島国際芸術祭 糸島芸農』というのがあるのですが、これは行政に一切頼らず、助成金ゼロでやっている。そこでは毎月1回とか2回とか関係者が集まってゆるゆると議論していく。そんな中でアウトカムも含め、いろんなアイディアが生まれるわけです。それは助成金も使ってないし、やりたい人たちだけが好きにやって集まっているから、そういうことがゆっくりできるんですが。神戸の下町芸術祭の場合は、助成金が入っていますよね。そうすると、そういう話し合いは誰がどういうタイミングでやるんですか。

大澤 ── 実質的に実行委員会の事務局をやっているのは劇場を運営しているNPO法人DANCE BOXで、その話し合いを設けたのは、次年度の助成金の申請前だったと思うんですよね。助成金の申請というタイミングをきっかけにして、それを言語化する作業をみんなで一緒にやりたいと。

でも、もっと早くていいんじゃないかなと思いました。というのも、それは次年度に向けた事業計画というよりも、「この町をどんなふうに変えていきたいんだろうか」とか、「そのためにこの芸術祭はどんな役割を果たしたいんだろう」っていう、もっと長い期間のビジョンが必要だから。ある種のトレーニングが必要だと思います、こういうのは。

誰が評価指標をつくるか？

朝倉 ── 少しそれに関連する質問がありまして。地域性ということなんですけ

れども。こういった社会の課題につながるような事業をやっていると、それぞれの地域やコミュニティにあった形で、何を実現するかという指標をつくっていくのが望ましいとは思うものの、そういったことすら議論にならないような地域では、評価自体が行われない。なので、本当に必要なのは、そういったことも議論にならないような地域ではないかと。そこで質問なんですが、文化事業すべてを包括するような評価軸をつくるのは難しいのでしょうか。どうでしょう。

片山 ── 僕の個人的な意見ですけども、そういうケースでは、最初からどういう成果を想定するとか、こういう指標で測るんだって決めてしまわずに、何が起こったのかをきちっと記述していくというのがいいと思います。第一段階としてはね。最初は何が起こるかわからないじゃないですか。よく価値創造型のプログラムと、課題解決型のプログラムが、対比的に語られることがありますよね。我々セゾン文化財団のものは、典型的な価値創造型なんです。だから我々は何のために助成しているのかというふうに聞かれたらね、「とにかくアーティストに心ゆくまで創作してもらって良い作品を生んでもらいたい」みたいなことを言うわけですね。でも「ではその先に何を期待するのか?」と聞かれたら、「さあ」っていう感じ。だって何が起こるのかわからないんですから。価値創造型の事業は、課題解決型の事業と、そこが違うと思うんですよね。

例えば、わかりやすいから例として話すんだけれども、電子が発見されたのはだいたい100年前ですね。その当時もし「電子を発見、確認したい」という研究の助成申請が来たとします。これを、「これで市民生活にどんなメリットがあるんですか?」といった基準で評価していったのでは、この申請は審査で落ちるわけですね。評価する側はまさか100年後に、電子工学の応用がなければ、食べ物も温められない、スマホも使えないという時代が来ようとは、夢にも思ってないわけですから。

もちろん行政や財団は、最初にアウトカムは想定します。想定するん

だけれども、それがすべてじゃないんだよと。課題解決型と言っても、例えば道路をつくる、橋を架けるみたいなものは、過去のデータの蓄積で、人の行き来がこれだけ増えて、どれだけの経済効果が期待できるかっていうことがだいたいわかるわけです。あるいは、託児所をこれだけつくれば、これだけの待機児童が解消されて、ご両親がこれだけで楽になるってっていうのも大体わかる。しかしながら、社会包摂のための文化事業っていうのは、行政は今言ったような他の政策分野と共通の評価フレームにおさまりそうな感じがするから飛びついちゃうけれど、道路や橋を架けるのとは、やはり違うんですね。そもそも社会包摂を目的とした文化事業の評価データが少なすぎますから。まだまだ黎明期。だからアウトカムを想定するっていうのは大切だけれども、それだけではないということを言っておきたいですね。

朝倉 ── 実はフロアからの質問の中にも、アウトカムベースにすることによって、自由度が失われる危険性を感じるとか、理念が矮小化してしまうんじゃないかというご意見がありました。行政はやはり価値創造型というのが非常に苦手で。そこを説明することが大事だし、その価値を市民、また財政当局とどう共有していくのかが課題だと思うんですけれども。

源 ── 橋を架けるとか、道路をつくるっていうのは、「青写真型」のプロジェクトと言われます。ブループリント型。すでに普遍的な、確立された方法論があるということです。ですから成果がはかりやすい。でも、やってみなきゃわからない、どういう変化があるか予測できないという事業は、文化事業・政策だけでなく、他の政策でもいっぱいあると思っています。

なので、アウトカムを設定すると理念が矮小化されるっていうのはちょっと違うと。理念とかビジョンっていうのはどちらかというと抽象度が高いので、具体的なアウトカムにはならない可能性があります。自分たちは何のために存在するのか、という理念やビジョンはもちろん必要ですよね。そのもとで、どういう変化を具体的に社会に起こしていこうとしているのかというのがアウトカム。理念に近づくための方策やアウトカムは1つではないはず。そうとらえないと確かに矮小化されちゃう。

それから、もう1つのやり方として、「プロセス評価」と言って、やりながら見直していくというのがあります。さっき言っていた目標をいくつか設定するというのに近いと思います。あと、「発展型評価」っていうのもあるんです。「改善」はあるべきモデルを想定するのですが、「発展」はモデルそのものを変えるというやり方。なので、先ほどお話があった、事業の性格によって評価のアプローチを変えるっていうのはおっしゃる通りだと思いますね。

中村 ── アウトカムベースだと自由度が狭まるんじゃないかって話ですが、「アウトカムにあまり執着しちゃいけない」ってことかと。さっきも強調したつもりなんですが、やってみたら、違ったアウトカムが出てきたっていうのはいいことだから、そういう成果を報告できる書式にして、それを評価するようになればいいのだと。評価のやり方に執着するとろくなことが起こらないっていう本がありましたが、そういうことかと（はじめに P.2-3 参照）。

フロアA ── 創造都市の分野では、想定していないような成果がでる「セレンディピティ」(serendipity)が主流で、想定通りに成果が出ることの方が少ないんです。だからセレンディピティを誘発

する仕掛けって何だろうって考えたんですよ。いろんな人たちが集まって議論して、何かとんでもないことが起こる仕掛け、つまり「非計画を計画する」ことを考えたんです。行政がそんなことをやるのも変なんだけど、でもそれは見事に成果を出してきたと思います。だから、これからの行政や財団は、そこをもっと積極的に考えてもいいのかなって。

価値観の違う人にどう伝えるか？

中村 ── もう1つ言いたいのは、ちゃんと評価をするとみんな納得してくれるだろうって思いがちなんですけど、どれだけ一生懸命頑張ってやっても、納得しない人はいるということです。いろいろ研究があって論文も出ているんです。価値感の違う人にいくらエビデンスを示しても納得しな

いって。そうだとすると、評価をすることとは別に、行政や政治家を納得させるような活動をしないと無理なんだろうと。ここは両面作戦にして、評価は自分たちの改善発展のために誠実にやって、それとは別にアドボカシーやロビー活動を戦略的にやる。この方がいいと思います。

大澤 ── 本当におっしゃる通り、価値観の違う人にいくら評価のエビデンスを示してもわからない。でも、そこで諦めちゃダメだと。視点を変えて示すと、変わるチャンスはあるんじゃないか。わからない、価値観が違うなと思っている人との対話のチャンネル、共通言語をとにかく探したい。「どのくらい経済効果があるのか」と聞かれたら、「経済効果とは」から説明して、その上で誠実に積算して「文化事業の経済効果はこういう結果になりました。ただし、経済効果のために文化事業をやっているわけではなく、こういう目的でやっています」という説明や議論が必要。「あの人とは価値観が違うから説明しても意味がない」ってなると、可能性を閉ざしちゃうことになるんじゃないかって。

フロアB ── その点、すごく共感します。私たちはこれまで、文化庁だけじゃなくて、文部科学省、厚生労働省、自治体に働きかけてやってきました。動けば意外に、首長の理解、幹部の理解は得られる。せっかく評価っていうツールがあるわけですから、広い意味でのコミュニケーションの道具として使っていく覚悟を、現場レベルからマネジメントまでみんなが共通して持っていれば、実は思った以上に使える可能性もあると思います。それに、コミュニケーションとして広くとらえれば、社会運動的なものにつながる可能性もあるのかなと。

源 ── 私は評価という言葉を使わないときがあるんです。評価っていうとなんかみんな構えちゃうから。みんなで事業の特性は何か考えようとか。結果としては同じなんです。

どうすれば行政は変わるのか？

フロアC ── 今日のお話を聞いて、私はすごく勉強になったんですけど、文化庁の方はこういう話をどう思うのかを聞いてみたいって思いました。

朝倉 ─ 私からお答えすると、今、政府全体でエビデンスベースド・ポリシーメイキング（EBPM）の推進が言われている中で、文化庁としても、文化の成果をどう示せばいいのかを課題として感じています。指標もつくる必要があるということで、文化芸術推進基本計画（第1期）で文化の価値を本質的価値、社会的価値、経済的価値と明文化し、評価指標を策定しました。例えば文化に関心を持つ人がどれだけだけ増えたかっていうことを盛り込んだりしています。ただそれが本当に適切かどうかという検証は必要だと思います。適切な指標の開発は引き続き課題となっており、でも難しいなと思って、こうやって研究をしているわけです。

質問の中に「アウトカムの観察には複数年かかる。けれども、行政からは短期で成果を出せって言われている」というのがありました。理念として今日話していることは私も共感するんですけれども、「時間がかかるんだ」って言っても、予算が取れない。そんな中で、いろいろな手法を組み合わせて、ときには経済的な指標も使いながら、こういう成果が出ていると示す必要があります。

データが非常に少ないという問題もあります。そもそも実態の把握が不足しており、何が進展しているのかっていうことを測ることもできていない。それは、文化庁としてもそうですし、文化事業をされている個別の団体でも、データの蓄積ができていないと思います。その辺は大きな課題だと認識しています。

フロアD ─ 村谷さんのご報告の中で、行政の担当者が変わると引き継いだファイルはあるものの、目的がわからないから想像でやっているという。そういう報告があったんですが、それは評価以前にすごい問題だと。

1つ実体験をご紹介します。以前12年ぐらい行政と一緒に仕事してい

たんですが、ある年呼ばれて、「これ来年で終わりです」と。一言で終わり。行政相手ですからそういうこともあるだろうなと思いますが。「どう評価されているんですか」と聞くと、「とても素晴らしかったです」と。じゃあやってくれよと。

源 ── さっき申し上げたように、多分そういう政策目的の体系化がされていないっていうことだと思います。基本計画に事業のリストがあるだけの場合、アウトカムに対する戦略じゃなくて分類なんですよ。介入をするときにどういう効果をねらうかっていうのが事業の目的（アウトカム）のはずですが、そういう体系になっていない。だから目的がわからない。

豊岡市では、その体系化をするところからはじめた。防災を例に取ると、自主防災組織をつくる、学校で防災の出前講座をやる、という既存の事業リストがあります。これに予算がくっついている。だけど、これとは別に、地域で何か災害があったときに助け合えるようにするという目的（アウトカム）を立てて事業を体系化していく。地域の防災力が高まるためには、今やっている事業以外の事業も必要かもしれない。他の課でやっていることとも連携をしなくちゃいけない、って体系的に考えていく。そうすると、縦割りがだんだん崩れるんです。

私は、事務事業評価はどちらかというと予算査定のためのものだと思っています。予算と事業の見直しがくっつきすぎている。くっつきすぎるとどうしても予算を確保して、前年度のままで、減らされたら困るということになりますから。だからそうなると、あまり効果がないからやめようねっていう議論にはならないのではないか。答えになっているかどうかわかりませんが、そういうふうに政策が必ずしも体系化されてないというのが一番の問題ではないかと。行政評価が改善や発展を促すためではなく、予算を取る仕組みになっているっていうことが問題かなというふうに思います。でもそれは行政の方もわかっていて、変えていっているところも出てきています。

中村 ── 今の話をもう少しお聞きしたいんですけど。多分ここにいる人たちの

多くが「早く行政変わってよ」って思っていると思うんですよ。でも、明日変わるとは思えないんです。数か月経ったとしても変わっている気がしない。どういうふうにしていったら、変わるんでしょうか。

源 ── 国レベルだと実施現場から離れていますので、難しいかもしれません。でも自治体レベルとか、助成団体とかとの関係で考えると可能性はある。まずはここに来られている皆さん、事業実施者の方たちが評価能力をつける。評価能力をつけるということは、自分たちの事業を常に見直すっていうことですね。そうすると、外に説明できるんじゃないですか。そうしたら、一緒にやりましょうという対話が成り立つ。まず資金提供者とアウトカムを共有するっていうのはすごく重要です。助成する側も何のためにここに予算をつけるかという話になりますよね。こちら側も力をつけるというか、説明能力をつけていくってことからかなと思います。

片山 ── 非常に回り道な話ではあるんですけどね。優劣をつけるばかりが評価ではなくて、その事業がどんな特性を持ったものかを明確にしていくのも評価の1つの機能ですよね。通知表で言えば、今どうなっているかわからないんですが、各科目の5段階の数字だけじゃなくて、「この子は率先してみんなを導いています」とか「この子はコツコツ粘り強くやる子です」とかいう行動評価があるでしょ。あれ熱心に見ますよ、親は。うちの子はどうなのって。あれも評価だけど、表しているのは優劣じゃなく、特質ですね。

例えば「社会包摂」。社会的弱者、障害のある人、外国人、貧困の人、そういった人を社会に取り込んでいくっていうのは、非常に重要な政策のテーマです。だけど、これは文化だけができることじゃない。もしかしたらスポーツの方がうまくいくんじゃないかって疑問もわいてくるでしょ。スポーツの方が参加人数も多いし、目につきやすいから。やっぱり社会包摂の政策としてはこっちだよね、と。そうなると、「アートによる社会包摂」が「スポーツによる社会包摂」とどう違うんだっていうことを明らかにしていくのも評価の役割っていうことになる。そう

いう議論が、行政を変えるかもしれないと思うわけですね。「そうか、スポーツでできないことが文化にできるのか」と。逆もあるかもしれない。こういう部分はスポーツの方が得意だなって。そうすると、行政の評価軸っていうのも、必然的に変わってくるんじゃないかと。楽観的すぎるかもしれないけど、そういう気もするんですね。

―了―

4 実践編
価値を引き出す評価

第4部 実践編

価値を引き出す評価

第4部では、評価の具体的な進め方について見ていきましょう。
以下の4つの観点からアプローチしていきます。
関係者と対話しながら、自分たちの評価のあり方を検討していって
みましょう。

4-1

概論

文化事業ならではの評価　　　P.157〜

文化事業で陥りやすい「評価の罠」と、
これらの罠にはまらない手立てについて学びます。

4-2
事例からのヒント

のぞいてみよう！評価のプロセス　　P.169〜

具体的なケースを紹介しながら、評価の場には実際にどの
ようなプロセスがあり、何が起こるかを考えていきます。

4-3

ケーススタディ

4つのケーススタディ　　　P.181〜

さまざまな評価方法を実践する団体の取り組みから、
自分たちの活動にあった評価の方法や手順を探ります。

4-4
対話のコツ

「対話」からはじめる評価の一歩　　P.211〜

自分たちの活動の評価につながる、さまざまな関係者との
「対話」のコツを学びます。

156

4-1 文化事業ならではの評価

評価は、文化事業に携わるさまざまな関係者同士のコミュニケーションを促進し、事業のユニークな価値を引き出すための重要なツールです。ただし、ビジネスや一般のNPOで用いられている事業評価を文化事業にそのまま適用すると、うまくいかないことも少なくありません。ここでは、こうした「評価の罠」を確認し、これらの罠にはまらない手立てを考えていきます。

知っておきたい心がけ

新たに生まれた価値を評価する

　文化事業は、ビジネスにおける利益追求型の事業やNPO活動での課題解決型の事業とは異なり、新しい価値が生まれることを重視する価値創造型の事業です。

　山登りを例に考えてみましょう。チームXは、途中で予期せぬ嵐に遭遇しても最短ルートで進み続け、計画通りに、効率的に登頂を達成することができました。しかし、登山技術や体力が十分でないメンバーは途中で登山を諦め、引き返しました。一方、チームYは、嵐の際に全員が引き返しました。再登山時にも、倒木を避けて大回りのルートを取ることになりましたが、おかげで未知の絶景スポットに遭遇し、満足度の高い登山を経験することができました。

　さて、あなたは2つのチームの登山をどう評価しますか。登山が利益追求型、課題解決型の事業であれば、チームXが高い評価を得ることができるでしょう。しかし、価値創造型の事業だとすると、想定していなかった新しい価値を生み出し、より大きな幸福を感じることができたチームYの方が高評価を得ることになります。

　文化事業は、価値創造型の事業です。予算を浪費せず、効率良く事業を運営することは大切ですが、新たに生まれた価値を評価することも重要です。特に社会包摂を意識した文化事業では、**価値創造をすることが、課題解決につながっているか**という点に留意して評価する必要があります。(P.26-27)

芸術活動の評価ならではのポイントと
おちいりやすい罠を確認しましょう。

Point 1 芸術活動の公共的価値を見定めよう

評価の罠❶

文化事業の社会包摂的効果をしっかり
アピールしようと考えたAさん。
障害のある人や貧困の状態にある人など
の支援をしているNPOから評価方法を
学び、事業の企画時からロジックモデル
を作成して社会的インパクト評価を実施。
ところが、事業報告会で「これは文化事業
ではなくて、福祉事業ですね」と言われて
しまった。

　社会包摂を意識した文化事業を評価する際には、**文化事業が直接
的に変化を及ぼしうることと、社会包摂を実現するために必要なこ
とが、どのように重なり合っているかを考える**ことが重要です。
この重なり合う部分は、経済学や文化政策では事業の「公共的価値」
（public value）と呼ばれるものにあたります。

　社会包摂につながる文化事業には、ワクワクする、表現技術が身に
つくなどの**芸術的価値**と、マイノリティへの理解が深まる、多様性を
尊重する社会ができるなどの**社会包摂的価値**の両方があります。た
だし、表現技術が身についたからと言って、社会包摂がもたらされる
わけではないように、芸術的価値のすべてが社会包摂に貢献するわ
けではありません。また、文化事業を実施しただけで、多様性を尊重
する社会が一足飛びに実現するわけでもありません。

　したがって、文化事業のどの部分が社会包摂に直接つながるかを慎重に見きわめる必要があります。例えば、「自分もできると思う」「他人に共感する」などの認識の変化は、文化事業が社会包摂に直接貢献しうる部分です。何が正しく何が間違っているかがあらかじめ定められていない芸術活動では、ふだんの立ち位置から解放され、自由に表現が行われるため、ふだんとは違う自分に気づいたり、ふだんは見ることのできない他人の一面を発見したりすることができます。(P.26) ここでは、文化事業が社会包摂に直接貢献しうる部分を「**社会包摂につながる芸術活動の価値**」と呼ぶことにしましょう。

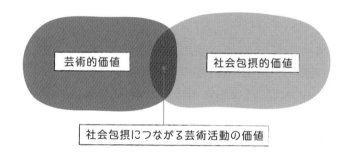

芸術的価値　　社会包摂的価値

社会包摂につながる芸術活動の価値

　一般に芸術活動は、個人の認識を変えるという特性があります。興味深いことに、こうした**個人の認識の変化は、関係性の変化へ、さらには社会の変化へ**とつながっていくことがあります。(P.22) 例えば、自分もできると再認識することから生きる力がわいてきたり、他人への共感から人間関係に変化が生まれてきたりします。そして、このような変化はさらに、マイノリティの社会参加を促したり、多様で包摂的なコミュニティを生んだりします。

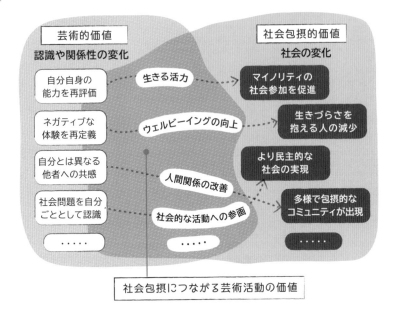

社会包摂につながる芸術活動の価値

　社会包摂を意識した文化事業では、このように芸術活動のどの部分が社会包摂につながるかを意識して評価することが重要です。

　また、評価のときだけでなく、事業を計画する際にも、芸術的価値と社会包摂的価値が重なり合う部分、つまり「社会包摂につながる芸術活動の価値」に事業目標を設定することが肝心です。文化事業から直接生まれない社会包摂的価値を事業目標にしてしまうと、文化事業というよりも福祉事業に近いものになってしまうので注意しなければなりません。

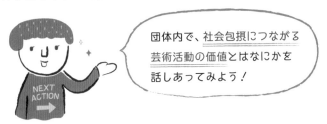

団体内で、社会包摂につながる芸術活動の価値とはなにかを話しあってみよう！

Point 2　活動の価値が見える評価指標をつくろう！

評価の罠❷

事業成果は客観的な数字で示すように、と上司から言われたBさん。
事業報告書に参加者数、会場収容率などの数値を書き込んだが、とても成果が上がっているようには見えない。
参加者たちはとても喜んでいたのに、これでは事業が打ち切られてしまうのではと不安でたまらない。

　文化事業の場合、参加者数が多ければよい、会場収容率が高ければよいということはありません。そもそも「万人受け」の取り組みから排除されがちな人たちと一緒に実施するのが、社会包摂を意識した文化事業です。多くの人たちに届けることができなくても、その場にいる人たちが「またやりたい」と思えるような満足度の高い取り組みをすることが大切です。そこで鍵になるのが、**現場で生まれた新しい価値（ユニークな変化）を可視化する**ことです。

　これにはいくつかの方法があります。1つは、**簡単に数値で表せる量的データ**に、**参加者や関係者の言葉、エピソードなどの質的データを組み合わせる方法**です。量的データは、全体の傾向を示すことが得意な一方で、現場で起きたユニークな変化を伝えることが苦手です。一方、質的データは、現場で起きたユニークな変化を伝えることは得意だけれど、全体の傾向を示すのが苦手です。両者を組み合わせることで、全体の傾向を示しながら、かつ現場で起きたユニークな変化を伝えることができるようになります。

　もう1つは、**質的データを独自のやり方で数値に変換する方法**です。数値指標というと、既存の指標を思い浮かべがちですが、自分でつくることも可能です。例えば、仙台富沢病院では、演劇的な朗読が認知症高齢者に及ぼす変化を観察することから、「挨拶をされたら挨拶を返す」「人に何かされたら感謝する」「相手を気遣う」などの行動が増加していることに気づき、指標化を試みました。（P.106-107）これらの行動は、芸術活動によって情動機能が活性化することでもたらされたものであると同時に、介護者との関係性を改善し、ケアの環境を良くするものでもあります。

　一方、東京文化会館の高齢者向けの音楽ワークショップでは、ワークショップがうまくいくと、アーティストではなく、高齢者が主体的にビートを刻んだり、そこに自発的に絡んでいったりすることがわかりました。（P.104-105）そうだとすると、高齢者が主体的にビートを刻み、自発的に絡むようになったかどうかで、ワークショップがうまくいったかどうかを判断することができるかもしれません。

　これらはいずれも、芸術的価値と社会包摂的価値が重なりあう部分、つまり「社会包摂につながる芸術活動の価値」に着目することから生まれた指標です。

挨拶の数が増えた

なるほど！どんな行動が増えたか、も指標になるんですね

　より創造的な指標化の例として、YokohamArtLife の左近山団
地でのプロジェクトの評価があります。団地のアトリエスタッフが「見
た」「聞いた」「話した」ことを日誌に記録し、そこに書かれたストーリー
を抽出・分析することで、自分たちの目標に対する効果を測定しよ
うとしました（P.190-195）。

　現在、世界で広く使われている指標（GDP、知能指数、幸福度な
ど）は、いずれも誰かがつくったものです。適切な指標がないと考え
た人が、どうすればよいかを考え、創造的に編み出しました。もちろ
ん、芸術的価値を言葉や数値に置き換えることは不可能ですが、「社
会包摂につながる芸術活動の価値」の一部を指標化することは、
ちょっとした工夫で可能です。

　ところで、東京文化会館やYokohamArtLife の評価報告書で
は、文章や指標でうまく表せない部分については、写真やイラスト
などを活用することで、アートによる意外な効果を視覚化して表現
しています。**事業のユニークな価値が見える評価報告書は、事業の
意義を社会に広く訴えるアドボカシーの役割も担います。**

◀ 東京文化会館
「社会包摂につながるアート活動のためのガイドブック」

https://www.t-bunka.jp/about/on_stage.html

◀ 横浜市、公益財団法人芸術文化振興財団
「芸術創造特別支援事業リーディング・プログラム
YokohamArtLife 報告書」（2019－2020年度）

https://yokohamartlife.yafjp.org/

Point 3　対話の場面を意識して評価方法を選択しよう！

評価の罠❸

評価はお金をかけてでもしっかりした方がいいと考えたCさん。地元のコンサルティング会社を探し、第三者評価を依頼。ところが、立派な報告書はできたけど、自分たちの活動に役立っているようにも、周囲の理解が深まっているようにも思えない。

　評価をはじめる際には、評価を通じて何を実現したいかを思い描き、それに見合った評価方法を選択することが重要です。評価方法を誤ると、何のために評価をしたのかわからなくなります。特に大切なのは、**評価活動を通じて「いつ、誰と、どんな対話をしたいか」を考える**ことです。「いつ」というのは、事業実施前なのか、実施中なのか、実施後なのかなど。「誰と」というのは、事業実施者同士なのか、事業関係者となのか、地域の人たちなのかなど。「どんな対話」というのは、事業改善のための対話なのか、事業の意義を伝える対話なのかなどを指します。

　事業実施者は、つねに事業を実施する立場から事業を見ています。実施内容についてはよくわかっていますが、それが参加者にどう見えるのか、連携団体や地域の人たちにどう映るのかはわかりません。また、事業を実施している仲間同士でも、事業をどう進めるかについては話しあっていても、事業についてどう思っているかをじっくり語りあう機会は意外に少ないものです。評価というのは、ふだん自分が見ている事業の景色を、他の視点から眺めることで事業を立体的

にとらえる行為です。**異なる立場の人と対話をしていくことで、自分たちが行っている事業の価値や改善方法が見えてきます。**これが評価の一番の効能です。

　専門家に評価を依頼したとしても、一方的な評価、一面的な評価は、真の意味での評価には値しません。依頼する際には、どんな観点で評価してほしいのか、評価結果をどのように活用したいのか、そして「いつ、誰と、どんな対話をしたいか」を検討し、事前に評価者に伝えておく必要があります。第三者評価と一口に言っても、**評価者が事業の企画運営を傍観する独立型と、企画運営にアドバイスなどをする伴走型**があります。事業実施後に対話の機会を持ちたいのであれば独立型を、事業実施中に対話を促進したいのであれば伴走型を選択します。

　また、評価方法を検討する際には、評価目的や事業内容、予算はもちろんですが、**事業の認知度についても考慮**する必要があります。例えば、事業の意義が広く認知されている場合は、事業の企画や運営をより良くすることが重要なので、第三者・伴走型によるセオリー評価（事業の目的と内容の整合性を評価する方法）やマネジメント評価が効果的です。その一方で、事業の意義があまり認知されていない場合には、事業の理解者を増やしつつ、事業をより良くしていく必要があるので、参加型のアウトカム評価がおすすめです。大規模プロジェクトでは、第三者・独立型による経済指標を用いたアウトカム評価が威力を発揮することもあります（4−3参照）。

　評価にはさまざまな方法があり、それぞれにメリットとデメリットがあります。自分たちに合った方法はどれなのかを見きわめながら、方法を選択することが重要です。ですが、どんな評価方法を選択するにせよ、大切なのは「いつ、誰と、どんな対話をしたいか」を意識することです。

まとめ

　本章では、文化事業ならではの評価について考えてきました。「評価の罠」にはまらないためには、次の3点に留意する必要があります。

　まず何よりも大切なのは、①自分たちの文化事業の公共的価値について話しあうことです。特に社会包摂を意識した事業を行う際には、自分たちの活動のどこに「社会包摂につながる芸術活動の価値」があるのかを考え、その部分に焦点をあてた評価を実施することが不可欠です。

　その上で、②この価値をどうすれば可視化できるかを考えます。量的データに、現場のエピソードや写真などの質的データを組み合わせることで、活動の価値を立体的に表現する方法があります。また、既存の指標に依存せず、自分たちで独自指標を創造的に編み出していく方法もあります。

　また、評価をはじめる際には、③いつ、誰と、どんな対話をしたいかを考えることが大切です。評価というのは、ふだん自分が見ている事業の景色を、他の視点から眺めることで改善点を見つけるという活動です。対話の場面を意識することで、適切な評価方法が見えてきます。

　このように、社会包摂を意識した文化事業は「価値創造型」の事業であることを意識し、評価にアプローチすることが肝要です。

4-2

のぞいてみよう！評価のプロセス

ここまで、評価に取り組む上で知っておくべき考え方を整理してきました。それでは、実際に自分たちの事業をどういうふうに評価していったらいいのでしょうか。ここでは具体的なケースを紹介しながら、評価の場では実際にどのようなことが起こるのかを考えます。評価は結果だけが重要なのではなく、どのように自分たちのことを評価するための言語を編み出していくか、という評価のプロセスに、活動の価値を語るヒントがこめられています。そのプロセスをちょっとのぞいてみましょう。

評価について考えるプロセスからも、生まれる気づきがある

　評価の重要性はわかっているけれど、実際にやるとなると気が重い。評価をやってはみたいけれど、何からはじめていいかわからない。確かに、実際に評価に取り組むのには、時間も手間もかかります。しかも、他の章でも触れているように、こういう評価方法が正解！というものはありませんので、より大変そうなイメージがあるかもしれません。ですが、一度評価に取り組んでみると、自分たちの活動を振り返りながら見直していくことにつながり、評価方法をあれこれ考える試行錯誤のプロセスで生まれる気づきも多くあります。

事業概要

提供：福岡県立ももち文化センター

　福岡県立ももち文化センターでは、2017年頃から社会包摂事業に取り組みはじめました。これまで、特別支援学級での演劇ワークショップのコーディネートや、シニア劇団の立ち上げなどを行ってきました。その一環として2018年からはじめたのが「表現の面白さを体感するワークショップ」です。福岡に在住する、障害のある人たちを対象とした演劇ダンスワークショップで、これまで知的障害や発達障害、精神障害のある人たちが参加しています。ファシリテーターには福岡を拠点に活動しているアーティストを招聘しています。年間10回程度のワークショップを重ねているほか、ワークショップの終わりには発表の機会を設けています。参加者それぞれの日常や、ワークショップの中で見られた、ふとした表現を題材にしながら演劇作品をつくり上げていくことによる、参加者たちの満足度が非常に高いワークショップです。

ももち文化センターのストーリー

このワークショップでは、当初から評価検証の重要性を感じていた、ももち文化センターからの発案により、「検証チーム」が九州大学大学院芸術工学研究院長津研究室を主体として組織されました。検証チームにはワークショップを外側から観察したり、アンケートやインタビューを通じて質的な分析を行う役割が期待されていました。

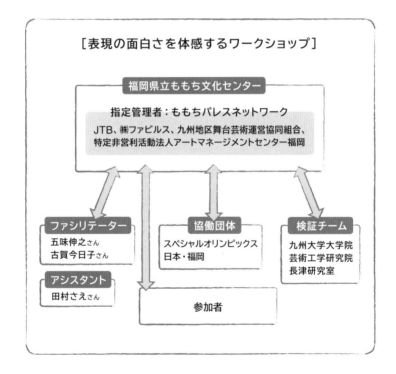

［表現の面白さを体感するワークショップ］

福岡県立ももち文化センター

指定管理者：ももちパレスネットワーク
JTB、㈱ファビルス、九州地区舞台芸術運営協同組合、
特定非営利活動法人アートマネージメントセンター福岡

ファシリテーター
五味伸之さん
古賀今日子さん

アシスタント
田村さえさん

協働団体
スペシャルオリンピックス
日本・福岡

検証チーム
九州大学大学院
芸術工学研究院
長津研究室

参加者

事業の価値をもっと伝えたい！

　2019年度になり検証チームである私たちは、より外部に向けてこの事業の価値を伝えていきたい、という思いを、ももち文化センターの皆さんからいただきました。しかし、どのようにこの事業を評価したらいいのか、という壁にぶち当たります。というのも、このワークショップには、障害のある人、そのご家族、文化施設の職員、さらにはアーティストと、たくさんの人たちが関わっています。当然、それぞれがこのワークショップに期待するものも違うだろうということが想定されました。

関わる1人ひとりの声を聞き取るところから

　そこでまず、このワークショップに皆さんが何を期待しているのかということを、丁寧に聞き取りをして行くというところからはじめようというふうに思い立ちました。

　この考え方は、参加型評価という考え方に基づいています。参加型評価は活動を提供する側だけでなく活動を受ける側も含めた、関係者が全員で評価のプロセスに参加することを通じて行われる評価のアプローチです。

　この考え方を用いて、ワークショップに関わっている人たちに、まず個別インタビューをしてみました。そのインタビューから出てきた言葉をもとに簡易的な分類を行い、全員が共通してこのワークショップに期待しているものや、それぞれが個別に期待しているものを把握していきました。その後に、関係者の皆さんに集まっていただき、このワークショップの目標は何か？ということを、みんなで一緒にディスカッションしてみたのです。

面白い作品づくりでもなく、「障害者のため」でもなく

　その結果、共通の目標として浮かび上がったことが2つありました。1つは、「文化芸術を通じて障害のある人やそれを支える人同士が新たな表現や関係を生み出す」ということ。もう1つは、「文化施設が多様な立場の人々が演劇の手法でともに遊び交流する場となる」ということ。その上で、アーティスト、参加者、家族、文化施設職員それぞれにとってのワークショップの価値についても言語化していきました。

　この作業をすることで、みんなでこのワークショップの特色を確認し言語化することができました。必ずしも新しい斬新な演劇作品をつくろうというわけでもなく、障害のある人たちのためにやってあげようというわけでもない。ここで重要なのは、関係が新しく生まれることであり、その関係を築いた人たち同士が交流できるような場ができることだ、ということが可視化されたわけです。

「参加型評価」を自分たちの活動に生かす

　普通の参加型評価であれば、この価値を達成目標ととらえ、尺度をつくり、評価として実際に測っていくというところまで進みますが、ここで私たちは立ち止まりました。というのも、評価に関するここまでのディスカッションには、肝心の障害のある参加者の方たちを巻き込んでいなかったのです。障害のある参加者の人たちの声をどのように聞くことができるか、と考えた私たちは、ワークショップの1クールを立てた目標自体の検証に使うことにしました。ワークショップで起こった些細な出来事を質的研究の手法で拾い上げていくことを通じて、この場で起こっていることの言語化を試みたのです。ワークショップの期間が終わったあと、観察の結果も合わせて再度ディスカッションを行い、目標を立て直すことができました。

インタビュー

皆さんの意見を聞くと、この場所でいろんな人が自由に意見を言いあえて、そこから表現が生まれるのが大事と思っている人が多いんだなぁ。

目標の言語化

このワークショップでは、「多様な立場の人たちの意見をもとにした表現が生まれる」のが大事なんですね！

起こっていることの言語化

ワークショップを見ていると、アーティストの人が参加者の「声」に瞬間的に応答して、新しい意味づけを即座にしているのが面白いなあ。

目標の見直しと整理

多様な立場の人たちの意見っていうと、言葉じゃなきゃいけないみたいに聞こえるね。表現が生まれることよりも、「共同創作の場」ができて、「互いに創作する主体として関わりあう」ことの方が大切かも！

評価の尺度の提案とデータ収集

「参加者やアーティストが互いに創作する主体として関わりあっていると実感する度合い」を、アンケートやインタビューで探ってみようかな。

つづく・・・

やってみた手応え

　この評価の実践から見えてくるものは一体どのようなことでしょうか。それは、評価の結果ももちろん重要ですが、評価するということ自体がもたらすものもまた大きいということです。例えば、以下のようなことがあげられるでしょう。

「評価者」から、みんなで評価しあうためのファシリテーターへ

　今回の事例のような社会包摂につながる芸術活動においては、あらかじめ一定の評価基準が存在するわけではありません。そのため、参加する1人ひとりの声を丁寧に聞き、そこから分析を行うことで、評価基準自体をみんなでつくっていくことにつながりました。結果として、このワークショップに関わる1人ひとりに、評価を「される」対象であるという意識ではなく、自分たちも評価に加わり一緒に事業を進めているという意識を生み出すことにつながっていたと言えるでしょう。

　そのときに、ふだんは「評価者」として振る舞う立場である私たちがすべきことは、一方的な思い込みで評価をするのではなく、関わる人たちが大切だと思っている価値観をすり合わせていくようなファシリテーターとしての役割を果たすことでした。

関わる人たち同士のコミュニケーションの回路をつなぐ

　このように関わる人たち同士で話しあいながら評価基準をつくることで、ふだんワークショップの実施時以外にコミュニケーションを取る機会がない人たち同士がやりとりをし、思いを語りあう場をつくる、という効果ももたらしました。アーティスト、障害のある人のご家族、

文化施設職員など、立場は違いますが、共通のテーマで腹を割って議論をしあう関係性が生まれたのです。そのことが、ワークショップ自体の円滑な運営にもつながり、ワークショップに対するご家族のとらえ方の変化にもつながったように思われます。

評価のはずが、新しいプログラムの種が生まれる場に

　さらにこの場が興味深いのは、ファシリテーターたちが評価のプロセスに参加することで、プログラム自体に変容がもたらされたことでした。評価のためのディスカッションに加わったファシリテーターの1人は、このワークショップにさまざまな立場の人が期待を抱いていることを知り、なかでも障害のある人やそのご家族のさまざまな生活につながっていくことを期待する発言を耳にしたのです。後日、そのファシリテーターから、今期のワークショップのテーマを「家族」にしたい、と提案があり、実際に家族をテーマとしたプログラムがいくつも実施されました。評価のためのディスカッションのはずが、この企画ならではのプログラムを構築するための手がかりを得る契機にもなったのです。

評価は続くよどこまでも
　――――― 価値を引き出し結びつけるために

　その後も評価は続いています。立てた目標に基づいて、評価の
尺度を考え、アンケートを設計し、ワークショップごとにアーティスト
と参加者にアンケートに回答してもらっています。また、ご家族を
対象とした振り返り会の実施も予定しています。そこで出た結果を
もとに、このワークショップの価値をより遠くに届けるための言葉も
また丁寧に紡いでいければと考えています。

　ときには、もう一度目標設計に立ち戻ることもあるかもしれません
し、やっていく中で新しいビジョンが見えることもあるかもしれませ
ん。そうなったとしても、またみんなで考えていければいい、そう思え
るような場が生まれつつあります。

ももち文化センターでの評価のポイント振り返り

評価設計 立場が異なる人たちが共通で思い描いているプロジェクトへの想いの中にある「社会包摂につながる芸術活動の価値」(P.160-162)を可視化することを目指した

指標検討 インタビューやディスカッション、現場の観察を通じて、ワークショップの持つ価値を丁寧に言葉にしていった

データ収集 映像も使いながら進行記録を複数の目で取ると同時に、指標をもとにアンケートを設計して、ワークショップで起こっている「事実」を把握できるようにした

結果の活用 評価の成果は社会に向けて発信すると同時に、評価してきたプロセスで起こった面白いことにも目を向けることが大事だと気づいた

　ももち文化センターでの評価からわかるのは、「評価のサイクル」というのは、必ずしも順番通りにはいかないということです。
　社会包摂につながる芸術活動を評価する人というのは今までの評価や検証とは少し異なる考え方が求められるようです。そして、自分の現場を評価する上では、現場を担っている人たち自身にもできることはいくつもありそうです。

例えば…

❶関わる人たちみんなで話しあって、事業の目標を立ててみる
❷その目標が達成しているかどうかをどうやって調べるか、自分たちで開発してみる
❸事業を実施するときに、プロジェクトの記録を複数人で取ってみる
❹事業が終わったあと、振り返りのミーティングをしてみる

などが挙げられます。

まとめ

　評価の結果ももちろん重要ですが、評価をすることを通じて生み出されることもたくさんあります。ここでは、評価に取り組むプロセスを紹介することで、評価をすることがどのようなことかを考えてきました。

　自分たちで目標を立て、検証方法もみんなで考え、事後に振り返って、次なる目標につなげていくこと。そのプロセスをみんなで考えながら進めていることは、1人だけでは思いつかなかった、想定外の価値に気づくきっかけを生み出します。さらには、関わる1人ひとりのエンパワメントにつながったり、新しい共通言語を獲得したり、その結果プログラム自体にも波及効果を生み出したりすることもあります。いわば、「評価する」という場をつくること自体が、クリエイティブな行為と接続していると言うことができるでしょう。

4-3 4つのケーススタディ

本章では、特徴的な評価に取り組む事業実施団体や助成事務局の方々に、評価に取り組んだ目的や経緯、評価の手順と成果などを詳しく伺い、ケーススタディとしてまとめました。ケースを参考に、自分たちの活動に適した評価方法・手順について考えてみましょう。

知っておきたい心がけ

ここまで見てきたように、評価に取り組むプロセスは紆余曲折、試行錯誤の連続です。

この章では、評価に取り組んできた先輩たちの4つのケースを紹介しています。自分たちの活動に適した評価方法を見つけ、取り組んでいくための道のりを探っていきましょう。

最後に4つのケースを一覧できる表があるから、それを見てから気になるところをじっくり読むのもいいよ

取手アートプロジェクトと應典院の

ピアレビュー評価

● 事業実施団体が同業者や仲間（＝ピア）とペアを組み、互いの事業を評価しあう

ピアレビュー評価は、同業他者であるからこそ、評価や批判を肯定的に受け止められます。

評価の目的	第三者評価とは違う方法で、もっと良い事業のやり方を見つけたい
主に何を評価するか	事業全体（事業ごとに設定）
外部の専門家	不要
誰が評価したか	同業者や仲間（＝ピア）による相互評価

事業実施団体	取手アートプロジェクト
評価対象の事業名	取手アートプロジェクトが手掛ける事業全般
事業概要	取手アートプロジェクトはフェスティバル型、通年型事業を経て、本格的にアート・センターを目指し活動を転換することになった。東京藝術大学大学院国際芸術創造研究科が開講するアートマネジメント人材育成講座「&Geidai」の実践現場の1つとしてピアレビュー評価に取り組んだ。

参考資料　P.226 ①④⑤

評価に取り組んだきっかけと、
その評価方法を選んだ理由を教えてください

　取手アートプロジェクト（以下、TAP）は、2013年ごろに外部の評価の専門家から評価される機会を得ました。しかし、TAPのメンバーは、**外部評価に対し、いくつかの「もどかしさ」や「申し訳なさ」を覚えました。**

　1つ目は、**外部評価委員の方にはプロジェクトの一部しか見せられないこと。**ずっと続いていることを、どこまで評価の素材として提供すべきか悩みました。また、地域のおじさんがベンチに座って、何気ない一言を発するような、アートプロジェクトにおける本当に面白い瞬間などは見てもらえません。

　2つ目は、TAPが外部委員に渡す情報不足や伝え方に依拠するのかもしれませんが、**事業の「応援」としての評価になってしまうこと。**

　そんな中、2015年に「ピアレビュー」という言葉を知り、**これまでの評価とは違うアプローチに興味を持ち、やってみることにしました。ピアレビュー評価の利点は、同業他者であるからこそ、評価や批判を肯定的に受け止められることです。**「鏡のような仲間＝ピア」を通して自分たちの課題を率直に突きつけられます。一方で、相手も同様のことで色々と悩んでいることがわかっていきます。

提供：取手アートプロジェクト

TAP（事業実施団体）	應典院（ピア）

事業実施前

ピアレビューの相手（自分たちに似ていそうなプロジェクト）を探す

オファーする → オファーを受ける

ピアレビューで検討したいテーマを設定する

TAPの場合
1) 相手のことをきちんと知る
2) NPOの体制を整えながらどうしたらいろんな人に関わってもらえるか
3) 場をどのようにつくっていくか

実施中

資料（組織運営に関する資料、質問票等）を渡す

ピアの現場を訪問（イベントや拠点などオモテの様子を知る）

ピアの事務局を訪問（ウラ（組織運営）の様子を知る）

訪問後に、メンバーで振り返り会を行う

実施直後

報告書にまとめる ← フィードバック・感想共有

「＆G」の研究会で発表

その後

組織内部のコミュニケーション方法の見直しと開発

情報発信改善のためWEBページを変更

● 具体的にどんなことをしましたか？

　まずは、TAPと同様、2000年頃から活動をしている「拠点型」の団体を探しましたが、選定には時間がかかりました。というのも、東京には同じ年数活動している「拠点型」の団体がなく、最初の候補の団体とも日程の都合が合わず、さらに、現場を動かしながら、評価のための時間を割り当てるのが大変だったためです。

　應典院（おうてんいん）がピアとして決まった後は、今回検討したいテーマを設定し、評価のために互いに運営事務局の持っている資料を交換しあい、質問票を送りました。そして、應典院を訪問し帰ってきた後に振り返りを行いました。**話しあいの中でメンバーの意見を整理する表をつくり**（図参照）、さらに「&G」の研究会のために議論を深化させていきました。

【図】レビューをしての具体的な気づきと、それに関連する問題意識
（メンバーの意見を整理した表より、内容を一部抜粋・編集）

應典院ではどんなことが起こっていたか	気づきの内容
應典院では最近まで事務局がほぼすべて企画・運営していたが、「質＜チャレンジすること」になるよう、事務局の役割を抜本的に見直した。	・質＜チャレンジすること、というのが新鮮 ・固定化している担い手に対するジレンマへの共感 ・今まで企画を担っていた事務局が、企画から手を放すってすごい

● どんな成果がありましたか？

　TAPと應典院とを重ねあわせて考えることが新鮮でした。應典院とピアレビューをした後の内部での話しあいでは「アートプロジェクトは価値が定まらないことに対して喧々諤々（けんけんがくがく）することに価値がある」という、当たり前でありながらも「**本質的**」なことを再認識できました。さらに、職場内でTAPの**メンバー個々人の思いを確認**しあえました。例えば、アートプロジェクトは労働条件があまりよいとは言えませんが、熱い思いを持ってそれぞれがTAPに関わり続けている理由は何か、**何に価値を感じて活動しているのかを言葉にする**ことができました。

羽原さん　五十殿さん

TAPの羽原康恵さんと
五十殿彩子さんに聞きました！

❮ 評価結果はどのように生かしていますか？

　ピアレビュー評価は、**業務改善ならびに職場内のコミュニケーションを促す**ことに生かせました。とりわけ、コミュニケーション改善は目を見張るものがあります。

　TAPは、各事業を4つの異なる拠点で行っているため、なかなかスタッフ同士が顔を合わすことができません。ピアレビュー評価前は、多忙なメンバーを捕まえる前に事業担当がそれぞれある程度企画を固めてから相談しなければと、まずはメールから……というような遠慮が生まれていたように思います。しかし、ピアレビュー評価後は、**事業が定まる前の悩みを相談する時間こそを大事にしようという雰囲気**になりました。というのも、ピアレビュー評価で、「他人の中に答えがある」「同業他者の人と話すことで気づくこともある」という実感を得られたからです。

❮ ピアレビュー評価で気をつけるポイントはありますか？

　どんなに小さい団体であったとしても、ピアレビュー評価を実施することに意味はあると思います。「評価しよう！」と肩ひじを張らず、**相手を知ることだけでも、たくさんの発見があります。**ただ、プロジェクトを動かしながら評価をするのは大変ですから、**主要事業の一つとしてピアレビュー評価を入れる**方がよいと思います。ピアレビュー評価は、ピアの選考や日程調整に多くの時間を要することも念頭に置いておいた方がよいでしょう。また、**ピアレビュー評価では内部での振り返りが一番大事**です。それを丁寧に行う時間を設けておきましょう。

提供：取手アートプロジェクト

熊倉さん

槇原さん

「＆G」の責任者である
東京藝術大学の熊倉純子さんと
槇原彩さんに聞きました！

どうしてピアレビューに取り組んだのですか？

以前ドラッカーの非営利マネジメントを学んだ際、「評価は自分たちでやると気まずい揚げ足取りになる」とありました。実際にやってみると頓挫したこともあり、「**現場がやってよかったと思える評価でないと導入は難しい**」と感じていました。また、アートプロジェクトが隆盛し続ける一方で、現場の若いスタッフたちは、公立文化施設職員の研修会のように、同業他者と出会う機会がないことも課題でした。

文化事業に取り組むのなら、**芸術とは何か？**ということを考えないといけません。芸術は、未知の可能性や、既存のシステム・概念に対する突破力、起爆力によって、「カレーライスを頼んだら焼きそばが出てくる」というような、予期しないものを生み出すものです。ロジックモデルは使ってもいいですが、**目標達成だけが目的になってしまうと本末転倒**で、芸術の力は失われ、芸術を扱う「現場」はとても疲弊するでしょう。

ピアレビュー評価は、同業他者との出会いをもたらし、ロジックモデルでは可視化できない、こぼれ**落ちていく言葉や大切な価値を拾い上げることができます**。「結果を伴うものだけが評価ではない」ことを示す、新しい評価方法のひとつなのです。

3つのポイント	1. ピアからもらう言葉にたくさんの気づきがある
	2. 内部のコミュニケーション改善、マネジメント改善に役立つ
	3. メンバー内で振り返り、自分たちの事業を見つめ直すことが最も大切

アーツコミッション・ヨコハマの

伴走型事業改善評価

● 助成事務局が、事業実施団体に自己評価を促すワークショップ
を複数回開催。また、審査員が事業の実施前・途中・事後に講評
を行う。

評価の専門家と一緒に
助成プログラムの設計を考え、
事業実施団体に伴走することで、
事業全体の改善につながります。

評価の目的	事業実施団体がそれぞれの活動の価値を大切にしながら、より良い事業ができるように支援したい
主に何を評価するか	セオリー
外部の専門家	必要
誰が評価したか	事業実施団体、芸術やまちづくりの専門家

助成事務局	公益財団法人 横浜市芸術文化振興財団（アーツコミッション・ヨコハマ（ACY）が担当）
評価対象の事業名	2019〜2020年度に実施されたYokohamArtLife
事業概要	さまざまな理由から、これまで芸術文化に触れていなかった人たちの芸術文化活動への参加を促進するプロジェクトを支援する、2年間の助成プログラム。

参考資料　**P.226** ⑥〜⑧

✏ 評価に取り組んだきっかけと、
　　その評価方法を選んだ理由を教えてください

　2008年にACYで助成事業がはじまったときから、助成した事業
実施団体やアーティストの評価はもとより、助成プログラム自体の評
価も含めて試行錯誤してきました。2010〜2011年度には、評価に
関する勉強会やワークショップを集中的に実施し、評価のあり方に関
する報告書を作成しました。ですが、このときは、報告書をつくった
だけで、実際の事業に応用することはありませんでした。今思うと、
**事業をどう改善していくかという視点はあまりなく、査定する／
チェックするという意識が強かった**ように思います。

　評価の重要性が実感できたのは、2017〜2018年度の「クリエイ
ティブ・インクルージョン」（社会包摂的な活動をするアーティストの
支援事業）のときです。このときは、**誰かのために評価をするのでは
なく、自分たちのためにやろうと決め、伴走型の事業改善評価を実施**
しました。助成プログラムの設計からロジックモデルなどを活用し、
どうプログラムを組めば、採択したアーティストや団体をうまく支援で
きるかを、評価の専門家と一緒に考えました。審査員には、採択の審査
だけでなく、事業の実施前・途中・終了時に各団体にアドバイスをし
ていただきました。これで、個人の変化を見れるようになりました。

　次に、**どうすれば社会への広がりをもたらすことができるか**が
課題になりました。そこで2020年は、最初からアウトカムを意識して
YokohamArtLifeという公募プログラムを設計し、**採択したアー
ティストや団体と一緒に評価指標を作成しながら、活動を支援**して
いくことにしました。

助成事務局	事業実施団体	専門家

事業実施前

ロジックモデル等を作成しながら、アウトカムを意識した助成プログラムを設計

← 助成事業プログラムの設計をサポート

申請書に企画内容だけでなく、アウトカムを意識した評価方法を記載

助成金の公募要項を作成・公開

審査会の実施

企画発表

【審査員】事業実施団体にアドバイス

実施中

評価ワークショップの実施（3〜4回）

ワークショップに参加し、指標づくりを実施

【評価の専門家】ワークショップをファシリテート

中間報告会の実施

事業実施状況を報告

【審査員】事業実施団体にアドバイス

実施直後

各団体の事業報告を踏まえ、事業報告書を作成

年度末に事業実施報告書を提出

年度末報告会の実施

報告発表

【審査員】事業実施団体にアドバイス

その後

事業を継続的に展開（予定）

● 評価ワークショップでは何をしましたか？

　事業実施団体の代表1〜2名が集まり、専門家のアドバイスを受けながら、事務局と実施団体で、**全団体が用いる「共通指標」を、また各団体の自己評価軸として「個別指標」をつくりました。**

　ただ、初年度は、共通指標のサンプルとして提示した指標が、芸術文化体験ではなく行政目標や私的な事情に寄り過ぎたものだったので（横浜市への愛着度・充足度や、孤立や生きづらさなど）、団体からは最初に「そういう目的で活動をしているのではない」という声が出て、結果、芸術文化体験の頻度を伺うなど、よくある指標となりました。

　そこで2年目は、「共通指標」の質問紙に体験に関する心理的指標（触発や、自己肯定感、社会とのつながりなど）を追加するようにしました。今度はみんなが興味を示し、やってみようということになりました。また、**「個別指標」に関しては、簡単なロジックモデルをつくりながら、自分たちのやっていることと、社会的に求められていることが重なる部分を見つける作業**をし、その部分に焦点をあてた指標を作成しました。この作業は結果的にセオリー評価にもなり、活動を深めることにつながりました。

● 審査員も伴走するのですか？

　審査員には、アーティストや事業実施団体の採択審査だけでなく、中間発表会や年度末報告会にも参加いただき、各団体の活動について講評をしてもらっています。

　そうすることで、アーティストや団体の活動がずっとよくなっていきます。助成制度は、制度自体のアウトカムを意識し、アーティストや団体の成長を促すよう、設計するようにしています。

ACYの杉崎栄介さんに
聞きました！

杉崎さん

どんな成果がありましたか？

2年目には、**各団体が「芸術の場・空間」と「地域の場・空間」が重なり合うことで生まれる新しい価値を評価できるように**なってきました。この部分に焦点をあてたアンケートを作成したり、スタッフの日誌からストーリーを抽出したりするなど、事業改善につながる具体的な行動が増えてきました。特に2年目の中間発表会の時には、**各団体が社会への広がりをもたせる工夫や、次年度以降の継続を意識した取り組みを積極的に行っている**ことがわかり、手応えを感じました。

評価結果はどのように生かしていますか？

事業終了時には、ACYの助成プログラム自体の評価と各団体の評価結果をまとめた報告書を作成し、公開しています。報告書を作成する際には、**「誰を主語にするか」を意識して編集**するようにしています。また、**芸術活動ならではの成果が見えるように、写真を効果的に使うなど、工夫**しています。

また、助成プログラムの評価をしっかりして課題を整理しておくことで、横浜市などから相談を受けた際に、次にどんなプログラムを実施したいかを具体的に提案できるようになりました。**評価は結果的にアドボカシーにもなるんです。**

評価で悩んでいる人に一言お願いします

　課題は社会にあるのではなく、芸術側にあると思うと楽です。「社会の課題解決をしているか」を評価するのではなく、芸術の力を信じているのであれば、それが**「いかに社会に広がっているか」**を見ていけばいいと思います。**自分たちが社会にその価値を伝えられているか、互いにコミュニケーションを取れているのか**ということをチェックしていく。そこにまず解決すべき自分たちの課題があるはずです。

助成する側として心がけていることはありますか？

　助成する側がお金を出すだけで、アーティストや事業実施団体に「自分たちで活動の目的を考えろ」と丸投げしていては、いくらロジックモデルなどを考えたとしても評価のサイクルはつながりません。

　助成する側が、**「自分たちはなぜこの助成をしようとしているのか」**という**目的や意義**を、事業実施団体にきちんと説明すること。私たちはこう考えているから、皆さんも皆さんなりの目的や意義を見つけて、それを追求してほしいと伝えることが大事です。評価はそこからだと思っています。

3つのポイント	1. 事業実施団体が自分たちで独自指標を考えることで、事業価値の可視化と事業改善を同時に行うことができる 2. 助成事務局が助成の目的や意義を明確にし、それを事業実施団体に伝えることで、評価のサイクルが効果的に機能するようになる 3. 助成事務局は行政に対して、次に実施する助成プログラムや政策の具体的な提案ができるようになる

東京文化会館の

独自の指標づくり

● 研究者が事業実施団体とともに、事業の独自性を検証する
ための指標をつくる
● フィールドワークを通じた活動の価値の言語化

研究者と一緒に、自分たちの
活動の意義や成果を検証・分析
することで、より効果的に事業
の見直しや情報発信ができます

評価の目的	客観的な視点で事業の意義や効果を明確にし、事業の改善やプログラム開発につなげたい
主に何を評価するか	アウトカム
外部の専門家	必要
誰が評価したか	高齢者心理学、芸術社会学の研究者

事業実施団体	公益財団法人東京都歴史文化財団 東京文化会館
評価対象の事業名	2018〜2020年に実施された社会包摂的取り組み（高齢者向け音楽ワークショップ、社会包摂につながるアート活動のためのレクチャー＆トレーニング）
事業概要	社会包摂的取り組みの一環として、「創造性」「協調性」「参加性」を重視する音楽ワークショップを、会館や都内の文化施設、高齢者施設、社会福祉施設等において実施。アーティスト向けトレーニングや社会包摂を考えるために必要な事柄を整理するためのレクチャーなども実施。

参考資料　P.226-P.227　⑨〜⑯

✎ 評価に取り組んだきっかけと、
　その評価方法を選んだ理由を教えてください

　東京文化会館では、2016年から社会包摂的事業に取り組んでいます。「社会に資する文化芸術」という言葉がキーワード化するなど、芸術文化および文化施設団体に対する社会的要請が強くなっている中、**音楽をはじめとしたアートが、人や社会に対してどのような変化をもたらすのか、当館事例を検証することでアートの社会的役割を客観的に明示していく必要がある**と考え、2018年から、高齢者心理学の研究者である同志社女子大学の日下菜穂子さんに、第三者評価を依頼し、検証を行っています。(P.104-105)

　日下さんにお願いした一番の理由は、ご自身が研究者であるとともに実践家であり、実践者の目線を持っていらっしゃるからです。また、視察先でお会いしたり、別の団体が高齢者向けワークショップで日下さんと検証を行っているのを見たりして、いつかご一緒できたらと思っていました。

　現在は、当館オリジナルの高齢者向け音楽ワークショップに基づいたアクションリサーチ*という方法を採り、健康寿命の延伸とQOLの向上という社会的課題に関して、音楽にはどのような力があるのかという視点で検証を行っています。具体的には、大学と協働し、高齢者心理学的知見を取り入れ、ワークショップ参加者が、ワークショップ中やその前後でどのように変化したのかを、対象者の反応や変化から分析し、客観的に検証しました。

＊アクションリサーチ…
当事者と研究者が一緒に問題の解決策を考え、その解決策を検証し、検証結果をもとにして、解決策の改善を図りながら問題解決を目指す研究手法のこと。

4-3

4つのケーススタディ　［独自の指標づくり］

	東京文化会館（事業実施団体）	研究者
事業実施前	調査・検証したいフィールドや事業、テーマを決定	
	フィールドの検討、調整、許諾	
	研究者の選定・調整後、フィールド、事業内容の共有	
	参加者募集、出演者・会場等手配	
	具体的な研究計画、手法、課題の細分化、予備リサーチから研究課題の特定	
	参加者から研究参加への同意を得る	研究者による研究倫理審査
	研究者・調査員と関係者、アーティストとの調整	
実施中	ワークショップの実施	事前・事後　インタビュー調査
		行動観察（フィールドノート含む）による映像・音声データ取得
	事前・事後　アンケート調査	
実施直後	振り返り	
		分析
	報告書公開、もしくは報告会実施	
その後	事業改善	
	組織内外へのPR	
	継続的な調査・検証の実施	

● どのような調査や検証を行いましたか？

　年度ごとに具体的なテーマを決め、そのテーマに従って調査内容を検討し、仮説を立て、その検証のために、**対象者の動作を測定したり、アンケートを行ったり、インタビューを行ったり**しました。**多様な調査方法と、心理学的な理論を用いて、多角的に参加者の変化を指標化できるようにしています。**

　例えば、2019年に「文化活動に関わる習慣がない方が、参加したくなる仕組みづくり」をテーマに検証したときは、**ワークショップのプログラムの分析**と合わせて、参加者の「落ち着いている」「興奮している」「快適だ」等の気分がワークショップ前後で変化するかどうか、参加者の健康度・不安・音楽活動への参加経験等により、それらの気分の変化に違いが見られるか等も検証しました。2020年はその結果に基づいて、プログラムの視点を集団の満足、幸福へとシフトさせ、**他者との関係の中で共感、達成、感謝を獲得しやすいデザインに改変**しました。

● どんな成果がありましたか？

　例に挙げたテーマに関しては、初めてワークショップに参加する大人にとって、ワークショップでどんなことをして、何ができるようになるのか、ゴールまでの道のりが明確にわかるプログラムであることが、参加への安心を高めるのに効果的だということが明らかになりました。

　また、ワークショップの振り返りの中でアーティストが、「あの方のあの行動の意味が気になった」というときに、**研究者から**「**行動心理学的にはこんな意味があった**」と分析をフィードバックしてもらうことで、アーティストの振る舞いが意識的になったり、より効果的なアクションを考えることができたりと、ワークショッププログラムの改善にもつながっています。

東京文化会館の
杉山幸代さんに聞きました！

杉山さん

研究者も交えた現場づくりで苦労されたことはありますか？

　高齢者介護施設でのワークショップ初日、調査内容に関する事前の確認の行き違いでトラブルが起きたことがありました。アクションリサーチでは、関係者間の調整とコミュニケーションが不可欠ですが、**ワークショップを進めると同時に調査を行うことになるので、アーティスト、ワークショップの参加者、調査員、施設の人等が気持ちよく、いつも通りに動けるよう、互いの関係づくり、場の環境づくりが非常に大切**です。

　調査内容や当日の動きを全て詳細に書面にまとめて確認したり、調査が不要な介入行為になっていないか注意を払ったり、アーティストと研究者ができるだけフラットな関係で進められるように、調整段階からコミュニケーションの機会をつくったりと、工夫しています。

評価結果はどのように生かしていますか？

　評価・検証することにより、**当館が社会包摂に取り組む意義や事業の成果が第三者の言葉として明確になるということが、重要なポイント**です。

　組織内においては、事業の改善や次年度以降の事業課題の見極め、館としての実績報告書、国際カンファレンスの発表などに活用しています。

　また、報告会などを開催し、**検証結果や成果を他の文化施設や芸術関係者と共有する場**も設けています。こうすることで、**他の団体や地域で同様の取り組みを実施する際に参照していただいたり、仕組みづくりに活用**いただいています。

　このように、自分たちの活動の成果や知見を明らかにして、情報発信・共有することが、**全国的な活動の活性化**につながることを願っています。

❮ その他にも取り組んでいらっしゃることはありますか？

2019年には、社会包摂に関する複数の事業内容・実施体制等の強み・弱みを明らかにすることと、活動の価値（アウトカムとインパクト）を言語化し、エビデンス資料として活用することを目的に、事業実施現場のフィールドワークと、専門機関や実践者へのインタビュー等の調査分析を、芸術社会学の研究者である九州大学の中村美亜さんに依頼しました。

これまで経験談としてしか語られてこなかったワークショップの意義や、当館で育成しているワークショップ・リーダー（音楽の喜びや楽しさを、新たな切り口で幅広い層に伝えるための人材）の**社会包摂的取り組みにおける役割と、育成プログラムの意義・課題が言語化**されました。

こうした調査の結果は、2020年3月に発行した『社会包摂につながるガイドブック』(P.165)にも反映し、**同様の文化事業に取り組む団体への情報共有やアドボカシーにも寄与**しています。

©Mino Inoue

©鈴木穣蔵

3つのポイント	1.専門家と一緒に、事業の独自性を評価するための指標をつくる
	2.専門家とアーティスト、参加者、スタッフなど、関係者間の丁寧な調整とコミュニケーションが重要
	3.客観的な視点で自分たちの活動をとらえ直すことができる

可児市文化創造センター alaの

SROI*評価

● 評価の専門家が事業を検証し、事業によってもたらされた
変化を貨幣価値換算する

事業が起こす変化を貨幣価値
で示し、事業の必要性を行政
（財務）や議員に伝えるため
に活用しています

評価の目的	社会的価値を貨幣価値換算することにより、事業の意義や効果を明確にし、説明責任を果たしたい
主に何を評価するか	アウトカム
外部の専門家	必要
誰が評価したか	SROI評価の専門家

事業名	可児市文化創造センターala（公益財団法人可児市文化芸術振興財団）
評価対象の事業名	可児市で行われた文化芸術創造性活用事業（コミュニケーション能力育成事業）（2017年度）
事業概要	児童生徒の他者を理解する（相手の気持ちを受け入れる）力、話す能力の向上を目指し、可児市内の複数の小・中学校を対象として実施した、演劇やダンスの手法を用いたワークショップ。

*SROI（social return on investment）…日本語では社会的投資利益率と呼ばれ、活動のもたらす社会的価値を貨幣価値に換算したうえで、投入した費用に対してどのくらいの社会的便益があったかを算出するもの。

参考資料 **P.227** ⑰〜⑲

✎ 評価に取り組んだきっかけと、
その評価方法を選んだ理由を教えてください

　以前は、文化事業を評価する際、その事業の入場者数がいくらで、売り上げはいくらで…というような「アウトプット」しか評価の対象となっていませんでした。参加者が笑顔になったとか、参加者同士が仲良くなったとか、そうした大切な変化を客観的な指標で表すことはできておらず、そのために、その事業の重要性を行政に伝えることが難しくなっていました。

　そこで、アウトプット以外のエビデンスが必要だと考えるようになりました。事業によって生まれた変化をきちんと拾い上げ、他の統計データと突き合わせて数値化しなければ、客観的なエビデンスにはなりません。どのように参加者が変化したか、**文化が起こす変化を数値化し、その価値を貨幣価値化することで、客観的なエビデンスを行政（財務）や議員に伝える必要があった**ことから、SROIを算出することにしました。

　ただし、重要なのは、貨幣価値換算することそのものではなく、その事業がもたらした変化がなぜ起きたのか・起きなかったのか、分析してロジックモデルにフィードバックし、事業改善に活用することだと考えています。

参考写真：東濃高校での演劇表現ワークショップの様子

4つのケーススタディ［SROI評価］

	SROI評価の専門家	ala（事業実施団体）	学校	可児市（資金提供者）
事業実施前	可児市における文化芸術創造性活用の事業背景調査、及び事前ヒアリングの設計	調査、ヒアリングへの協力		
	実施事業者および実施事業に関する現状調査、および事前ヒアリング	調査、ヒアリングへの協力		
	①ステークホルダー分析			
	対象の学校・クラスに関する現状調査、および事前ヒアリング		調査、ヒアリングへの協力	
	②ロジックモデルの作成			
	③インパクトマップの作成＋指標設計			
実施中	事前アンケートの配布・回収			
		ワークショップの実施		
	事後アンケートの配布・回収			
実施直後	事業実施後のヒアリングの実施	ヒアリングへの協力		
	測定結果分析とSROI算出			
	報告書提出	行政への報告		
その後		事業改善		
		継続的な調査・検証の実施		

①ステークホルダー分析

　SROI評価を実施する上で最も重要なことの１つが、ステークホルダー分析です。ステークホルダーを網羅的に抽出し、成果の言語化、整理を行います。この分析をもとに、「どの関係者にどのような効果があるのか」を言語化し、論理的にその変化をつなぐために、②ロジックモデルと③インパクトマップを作成します。

②ロジックモデルをつくる

　事業や施策の、投入した資源（インプット）、活動（アクティビティ）、結果（アウトプット）、成果（アウトカム）までを明確に示し、その因果関係をつなぎ合わせたものです。

　今回の事業では、「子どもの健全育成」という最終アウトカムからインプットまでの関係を以下のように整理しました。

※ロジックモデルの一部を抜粋

1.投入資源	2.活動	3.結果
インプット	アクティビティ	アウトプット
ヒト・モノ・カネ	ワークショップの実施	ワークショップ実施回数、参加者数

4.成果		
アウトカム		
初期：他者と協働することの楽しさを体感する	中期：積極的に友人と関わるようになる	最終：子ども同士の信頼関係の形成 最終：子どもの健全育成

③インパクトマップをつくる

　SROIを算出するため、今度はステークホルダーごとに、インプット、アウトプット、アウトカムを整理し、各項目と対応する指標を明確にします。今回の事業では、例えば子どもの「自己の表現回数」「他者の表現への関心」「大人への信頼度」、教員の「児童生徒への関心・理解度」に指標をおき、ワークショップ前後の変化をアンケートやヒアリングによって検証しました。

この評価に携わった
ケイスリー株式会社の
落合千華さんに聞きました！

調査からどんな結果がわかりましたか？

　ワークショップ前後でのアンケート結果の比較、ヒアリング調査を踏まえてアウトカムを貨幣価値換算すると、児童生徒620名に対して、平均年2回の事業を実施する場合、

　　　・インプット＝2,100,000 円
　　　・アウトカム＝4,851,777 円（正味現在価値）
　　　・SROI＝2.31　という結果が示されました。

　また、このワークショップが、特に自己表現、他者への理解、クラス内コミュニティの形成に役立っていること、また教員にとっては学びの場として機能していることが示されました。例えば、事前・事後アンケートでアウトカムの変化を見ると、**特に「自分の考え・表現を伝える」「他者との関わりへの関心が高まる」「コミュニケーション能力の向上」**といった項目のポイントが大きく向上していることがわかりました。

SROI評価に取り組むのは難しいですか？

　SROIは事業の社会的価値を貨幣価値換算する専門的な知識が必要となるため、難易度は高いと言えます。行政や議員に事業の必要性を訴え、説得するための手段として戦略的に用いることもできますが、数字が独り歩きする危険性があるのでその特性を理解して活用することが重要です。

　また、SROIは元来、大規模な事業の社会的な費用対効果を見るためにつくられた手法であることや、SROIを推進する評価の専門家も減っていることから、評価手法として無理にSROIを選択する必要はないと思います。

　現在は、芸術文化だけでなく他の領域においても、インパクトそのものを評価することの重要性が共有されています。SROIでな

くても、例えば、SDGsへの貢献度を示したり、行政のグランドデザインや総合計画に則ってアウトカムの重要性を伝えたり、「○○%の人が××の変化をした」等の検証結果があれば、資金提供者（行政）への説得材料になると思います。

alaの衛紀生さんに
聞きました！

衛さん

◀ 評価結果はどのように生かしていますか？

行政や市議会に対するアドボカシーだけでなく、事業の継続・発展につながっています。例えば、alaが県教育委員会と劇団文学座を結ぶハブとなって、2018年度に両者の連携協定の締結が行われ、県下12校の教育困難校で継続的に演劇ワークショップが実施されています。

2019年度には、東濃高校で行っている演劇表現ワークショップの効用性を地域看護・介護の「リレーション形成」に生かすため、岐阜医療科学大学の薬学部・看護学部と文学座が連携して科目を展開しています。

このように、評価に取り組むことは、活動を誰かと共有し、もう一歩前に進んでいくための投資になると思います。評価が関係者間のコミュニケーションを進化させる機会となり、自分たちの活動の意味や目的が明確になることで、事業をもう一歩前へ進めるためのヒントが出てくるのです。

3つのポイント	1.SROIは専門家への依頼が必要で、難易度は高め 2.事業が起こす社会的変化を貨幣価値換算し、エビデンスとして活用する 3.その事業がもたらした変化がなぜ起きたのか・起きなかったのか、分析してロジックモデルにフィードバックし、事業改善に活用することが大切

各ケース一覧表

	取手アートプロジェクトと應典院	アーツコミッション・ヨコハマ
	ピアレビュー評価	**伴走型事業改善評価**
評価の目的	第三者評価とは違う方法で、もっと良い事業のやり方を見つけたい	事業実施団体がそれぞれの活動の価値を大切にしながら、より良い事業ができるように支援したい
評価活動の概要	事業実施団体が同業者や仲間（＝ピア）とペアを組み、互いの事業を評価しあう	助成事務局が、事業実施団体に自己評価を促すWSを複数回開催する
主に何を評価するか	事業ごとに設定	セオリー
外部の専門家	不要	必要
誰が評価したか	同業者や仲間（＝ピア）による相互評価	事業実施団体 芸術やまちづくりの専門家
おすすめポイント	・自分たちの事業の価値を見つけられる ・評価の専門家がいなくてもできる	・事業実施団体：自分たちの事業の価値を見つけられる ・助成事務局：助成先の団体の育成を促しながら、上部組織へ説明責任を果たすことができる

	東京文化会館	可児市 文化創造センター ala
	独自の指標づくり	**SROI評価**
評価の目的	客観的な視点で**事業の意義や効果を明確にし**、事業の改善やプログラムの開発につなげたい	社会的価値を貨幣価値換算することにより、事業の意義や効果を明確にし、説明責任を果たしたい
評価活動の概要	研究者が事業実施団体とともに、事業の独自性を検証するための指標をつくる	評価の専門家が事業を検証し、事業によってもたらされた変化を貨幣価値換算する
主に何を評価するか	アウトカム	アウトカム
外部の専門家	必要	必要
誰が評価したか	高齢者心理学、芸術社会学の研究者	SROI評価の専門家
おすすめポイント	・第三者に対して事業の価値を見える化できる ・エビデンスに基づいたプログラム開発ができる	・第三者に対して事業の価値を見える化できる

まとめ

　本章で紹介した取り組みは、評価の実践のほんの一部です。４つの例を見ただけでも、評価方法はそれぞれ、独自の特徴と効果があることがわかります。

　いずれも先進的でユニークな取り組みですが、そこに至るまでに、既存の評価方法に違和感を感じたり、やってみてもうまく行かなかったり…と、４−２のももち浜文化センターの事例同様、さまざまな試行錯誤と工夫を重ねてきた過程が見えたかと思います。

　評価方法を選択するときに大切なのは、４−１にも出てきたように、評価活動を通じて、「いつ、誰と一緒に考えたいか？」「誰にどんなことを伝えたいか？」をしっかりと考えることです。事業実施後に取り組みを振り返り、次の事業、評価へとつなげるサイクルをつくっていくことが、自分たちに適した評価方法を見つける手がかりになるのではないでしょうか。

4-4

「対話」からはじめる評価の一歩

本章では、「評価をしなきゃ」という思考から少し離れて、さまざまな関係者と「対話」の場をつくるための工夫を考えます。多様な「対話」の場を通し、事業の目的や目標を自分たちの言葉で表すための「素材」を得ることを目指します。「自分たちのための評価」にもつながる「対話」は、誰と、どのようにしていくといいのか？ヒントを一緒に見ていきましょう。

「対話」の場をつくる

　第4部を通して、評価設計も評価方法の選択も、事業の目的や目標に合わせて考えることの大切さを学んできました。しかし、そもそも事業の目的や目標を言葉で表現すること自体、簡単なことではありません。助成金の申請書に事業目的を書いてもその内容をうまく仲間と共有できていない、もしくは、事業目的を設定して活動を行ってきたけど、現状とは合っていない気がするという事業実施現場の人も多いのではないでしょうか。

　事業の目的や目標をしっくりくる言葉で表せるようになるには、実践と対話を繰り返すことが必要です。まずは、仮にでも目的や目標を書いてみましょう。そして、実践する中で得た発見や効果の実感を、対話を通して言葉にしていきましょう。そうすることで、徐々に明確な言葉で表せるようになるはずです。

　では「対話」は、誰と、どのようにしたらよいのでしょうか。本章では、「対話」を行う相手や工夫のポイントについて具体的に見ていきます。事業に関わる人と、多様な形で「対話」の場をつくることは、自分たちの事業を表す言葉を獲得していくための鍵となります。

誰と、どのような「対話」をするか

　「対話」をする相手には、どのような人がいるでしょうか。イベント参加者のほかに、助成元や運営スタッフ、アーティスト、協働団体などさまざまな関係者が考えられます。下図は例として、とある事業において事業の主催者（団体）がコミュニケーションを取った相手を「関係者マップ」として示したものです。

　皆さんが関わる現場でも、誰とどのような話をすると必要な情報や言葉が得られるのか、また、自分たちの事業にはどのような関係者がいるのか、具体的な名前を思い浮かべながら、身近な人と話しあってみるとよいですね。

とある事業における「関係者マップ」

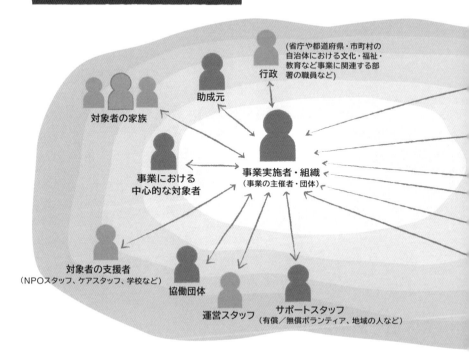

行政（省庁や都道府県・市町村の自治体における文化・福祉・教育など事業に関連する部署の職員など）

助成元

対象者の家族

事業における中心的な対象者

事業実施者・組織（事業の主催者・団体）

対象者の支援者（NPOスタッフ、ケアスタッフ、学校など）

協働団体

運営スタッフ

サポートスタッフ（有償／無償ボランティア、地域の人など）

　「対話」を促すためには、工夫が必要です。アンケートや写真、映像を活用したり、類似した事業の報告書を読んだりするなど、必要な情報や言葉を得るための工夫はいろいろと考えられます。また、社会包摂につながる芸術活動においては、言葉や文字で「対話」をすることが難しい場合もあります。そのようなときには、相手の立場に立って、その人が答えやすい「対話」の形をつくることも大切になります。

　では、「対話」の場をつくるために、どのような工夫ができるのか？次ページから、具体的な方法を見ていきましょう。

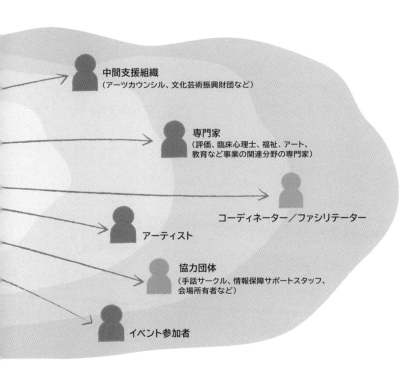

中間支援組織
（アーツカウンシル、文化芸術振興財団など）

専門家
（評価、臨床心理士、福祉、アート、
教育など事業の関連分野の専門家）

コーディネーター／ファシリテーター

アーティスト

協力団体
（手話サークル、情報保障サポートスタッフ、
会場所有者など）

イベント参加者

「対話」のポイントと工夫

　まずは、「対話」の場をつくるためのインフラ整備を行います。限られた人数で運営しているため、事業を行うことだけで手いっぱいだという事業実施現場も多いと思います。しかし、せっかく「対話」によって情報や言葉を得ても、それを仲間と共有できなければ、事業に生かすことは難しいです。現行の業務にひと工夫することで、組織内において事業の目的や効果に関する話しあいを定期的にできる環境づくりをしましょう。

　例えば、組織で行われている定例会議の活用が挙げられます。話しあいのために別途会議を設定することは大変ですが、最初は短い時間でも、定例会議の中に事業目的を話しあう時間を設けてみましょう。10分もかけられない日も、30分以上話せる日もあると思いますが、継続することが大切です。

　また、異なる立場から事業に関わる関係者が一堂に介して議論する機会をつくることも有効です。年度始めや終わり、中間など実施しやすい時期を選び、年間スケジュールの中に予定を入れておきましょう。

　では、ここから「対話」によって必要な情報や言葉を得るための工夫を、次のポイントに分けて見ていきます。

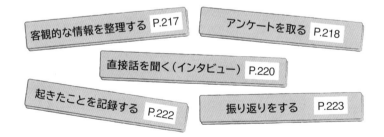

客観的な情報を整理する P.217　　アンケートを取る P.218

直接話を聞く（インタビュー） P.220

起きたことを記録する P.222　　振り返りをする P.223

客観的な情報を整理する

　自分たちが行っている（行ってきた）事業について、客観的な事実の把握をしてみましょう。例えば、参加者の人数、年齢、過去の活動経験（経験年数）、属性などをまとめてみます。事業のアウトプット（結果）だけではなく、インプット（投入）したことの整理も考えられます。

　1年分のデータでは気づけないことも、データを取り続けることで、経年により生じた変化が見えてくるかもしれません。データを見て気づいたことを言葉にすることで、事業が与えた影響をとらえる手がかりになるでしょう。

今年度のデータを見てみたけど、変化は特に無いみたい

3年分のデータをまとめてみたら、いろいろ変化していることがわかったよ

関係者でデータを眺めながら、どのようなことが言えるか話しあってみましょう。
● 一番気になる数値や、経年で見えてきた変化は何でしたか？
● その数値や変化にはどのような意味があると考えられますか？

アンケートを取る

　イベント参加者などが感じたことを、アンケートを利用して集めてみましょう。アンケートの項目は、どのようなことを知りたいか、関係者で話しあって決められるとよいです。それにより、記述式（質的データ）がよいか、評価スケールなどによるチェック方式（量的データ）がよいかなど、方法を選んだり組みあわせたりします。アンケートでは、意見を聞きたい相手が、回答しやすい工夫を行うことも大切です。

参加者へのアンケートを作ってみたけど、後から『あれもこれも聞きたい』って意見が出てきてまとまらない〜

2段階で項目を考える

　参加者に対しどのような意見が聞きたいか、事業運営に関わる人の考えを知るために、まずは内部でアンケートを行う方法もあります。その内容をもとに参加者に配布するアンケートの素案をつくり、実行委員会などで話しあうことで、関係者みんなが関心を持てる項目をアンケートに盛り込むことができるでしょう。

関係者が幅広く・多いときには有効な方法。遠回りのように見えて、近道だね！

答える人にあわせた表現

低学年の子どもなど、漢字を読むことが難しい人を対象にアンケートを行うときは、平易な表現を心がけ、ひらがな表記をするといいでしょう。

「とてもよかった・よかった・ふつう・あまりよくなかった・まったくよくなかった」など、5段階スケールでの問いは抽象的なので、子どもなどは理解しにくい場合があります。下記のように、イラストを活用して気持ちを聞くと答えやすいかもしれません。

いまの きもちに まるを つけてね

事前・事後アンケートの実施

継続的な活動では、参加の前後で起こる参加者の意識変化によって、イベントの効果をとらえられるかもしれません。イベント開始前と後に事前・事後アンケートを実施する方法もあります。また、イベント終了後、一定期間を置いて、Eメールなどで追加のアンケートをする方法もあります。

事前 アンケート
1. 今回この講座に参加しようと思った きっかけは？
2. 今回のテーマに対してどのような イメージ（印象）を持っていますか？

事後 アンケート
1. 今回のテーマに対するイメージ（印象） に変化はありましたか？
2. 今回のテーマに今後どのように関わり たいか、考えに変化はありましたか？

アンケートは取って終わりではありません。得られたデータからわかることを関係者間で共有し、事業の改善に生かしましょう。
● アンケートの回答で、あなたが一番気になった内容は何ですか？
● その内容が気になった理由を仲間同士で伝えあってみましょう。

直接話を聞く（インタビュー）

　イベント参加者や関係者などが感じたことを、直接話を聞くことで集めてみましょう。事業に関して立体的な意見を得るためには、複数の異なる立場の人から話を聞くといいでしょう。個別、もしくはグループで聞く方法があります。聞きたい内容は、事前に関係者で話しあって考えておきましょう。

話を聞く順序を考える

　イベント参加前から順を追って、何をきっかけに気持ちや考えがどういう風に変化したのかを聞いていきます。

①参加する前の気持ちや考え「どのようなことを期待して参加しましたか」「〇〇について、参加する前はどう思っていましたか」など。
②参加中の気づき「イベントの中で、もっとも印象に残った出来事や発言は何でしたか？　それは誰のどのような行動・発言でしたか？　印象に残った理由を聞かせてください」など。
③参加した後の考え方や意識の変化「〇〇に対するとらえ方にどのような変化がありましたか」「今後、ご自身の生活や活動に生かせる新たな発見や気づきがありましたか？　それはどのようなことですか？」など。

　こうして得られた証言は、評価を設計する際の情報になるのはもちろん、評価そのものの貴重なエビデンス（根拠）にもなります。これは、アンケート項目の作成にも応用できますよ。

付箋に意見を書いて共有する

　イベントの中で参加者が「考えたこと」や「もっと知りたいこと」について、付箋に書きとめてもらう方法もあります。

　質より量でどんどん意見を書いてもらい、その付箋をもとに、グループワークで話しあう時間を設けると、声の大きい人・小さい人関係なく意見を出しあい、ディスカッションすることができます。

アンケートに答えることが難しい人の声を聞く

　アンケートで「何が一番楽しかったですか？」と聞いても、思い出すことが難しい場合があります。イベントの様子がはっきり映った写真を見せながら、一番楽しかった内容を選んでもらったり、意見を聞いたりするなど、相手が答えやすい工夫ができるといいでしょう。

直接会話をすることで、話の流れに沿ってイベントの効果や課題について深く聞くことができます。言葉だけではなく、相手の表情や身振りなども気持ちをとらえるヒントになるはずです。
● インタビューで一番印象に残ったのは、誰のどんな回答でしたか？
● その回答の持つ意味を仲間たちと話しあい、掘り下げてみましょう。

起きたことを記録する

　事業運営やイベント開催時に起こったことを記録しましょう。例えば、参加者の表情や、会場の様子など写真や動画による記録も有効です。記録を生かし、関係者や参加者が感じたことを言葉にして共有することができます。アーカイブの詳しい方法は参考資料を見てみましょう。

参考資料　**P.227** ⑳

動画で記録する

　身体を動かすワークショップなどでは、定点からでいいので活動中の様子を動画で撮影しておきましょう。活動中に起こった思いがけない出来事が、何をきっかけに、どのような流れの中で生じたのかをとらえることに役立つでしょう。また、動画や写真をみんなで見ながら気づいたことを書いて共有してみると、新たな発見があるかもしれません。

> ≻ 気づきシート ≺
>
> 気になった場面　　　　　　　　どうして気になりましたか？

　記録を通して、事実の再確認ができたり、イベントで起きた出来事を関係者間で共有したりすることができます。
- 思いがけない出来事は起きていましたか？
- どんな出来事か？その意味は何か？仲間と語りあいましょう。

振り返りをする

　事業運営やイベント開催時に起こったことを関係者で振り返りましょう。活動で感じたことや得られた発見を自分で意識し、それをほかの仲間と共有することで、新たな気づきにつながるはずです。

前向きな思考を生む場づくり

　「振り返り」と「反省会」は別のものです。反省材料として、欠点ばかりを出しあうのではなく、意欲を引き出すような振り返り方を意識しましょう。

・よかったことを、1人1つずつ、全員がコメントする。
・誰かの気づきにのっかって、「こんなこともあったよ」と語りあう。
など

参考資料　**P.227** ㉒

もやもや曲線

　アート系のイベントでは、心に何か引っかかっているけど言葉にならない「もやもやした状態」になることがよくあります。そのような気持ちの推移を線グラフ（感情曲線）で表してみてもいいかもしれません。イベント中に「もやもや」が発生したピークはいつで、何がきっかけか？グラフに書き込み、みんなで共有してみる方法もあります。

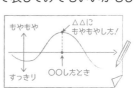

　固苦しく考えず、楽しい「振り返り」の方法を工夫してみましょう。お茶やお菓子、画像や動画があると盛り上がります。
● ほかの人の意見で、一番気になった内容は何ですか？
● その意見をきっかけに、自分自身で新たに気づいたことをお互いに出しあってみましょう。

まとめ

　助成元から示される指標に基づいた一方向な評価のあり
方ではなく、「自分たちのための評価」「自分たちが元気にな
る評価」のあり方を実践するためには、事業の目的を自分
たちの言葉で表現できることが不可欠です。それは簡単な
ことではありませんが、本章で見てきたような多様な「対話」
の場を通し、実践から得られことを言葉にしていくことで、
多くの「素材」を手にすることができます。

　自分たちの言葉で事業の目的や意義を表せるようになる
ことは、異なる立場の関係者が、事業によって目指すビジョ
ンをしっかりとらえたうえで関わることにつながるでしょう。
またそれは、それぞれの立場で役割を果たしつつ相互に関係
しあいながら、目指す方向へ事業を推進していくための土壌
づくりにもなります。

　評価を行った効果について、文化事業の評価に取り組む先
駆者たちにたずねると、「関係者とコミュニケーションが取り
やすくなった」と返ってきました。評価は、異なる立場で事業
に関わる関係者相互のコミュニケーションを促進するハブ（結
節点）としても機能します。評価の過程において関係者とつ
くる「対話」の場は、未来へ向けてともに事業を改善・発展さ
せていく仲間づくりの場としても役立つでしょう。

有識者委員リスト

2020年9月〜2021年2月に実施した、4−3ケーススタディに関するインタビュー調査や、有識者会議（2回）、内容監修に協力いただいた方々のお名前です。なお、所属・役職は調査時のものです。

衛紀生	可児市文化創造センター ala 館長兼劇場総監督
落合千華	ケイスリー株式会社 取締役・最高知識責任者、慶應義塾大学大学院 政策・メディア研究科研究員
熊倉純子	東京藝術大学大学院 国際芸術創造研究科 教授
杉崎栄介	(公財)横浜市芸術文化振興財団 広報・ACYグループ
杉山幸代	東京文化会館 事業企画課 事業係 包摂・連携担当係長
廣川麻子	NPO法人シアターアクセシビリティ・ネットワーク(TA-net)理事長

研究協力者

2020年9月〜2021年2月に実施した、4−3ケーススタディに関するインタビュー調査に協力いただいた方々のお名前です。なお、所属・役職は調査時のものです。

羽原康恵	特定非営利活動法人 取手アートプロジェクトオフィス 理事・事務局長
五十殿彩子	特定非営利活動法人 取手アートプロジェクトオフィス 事務局長代理
槇原彩	東京藝術大学大学院 音楽研究科音楽専攻音楽文化学研究領域 芸術環境創造 熊倉純子研究室 博士後期課程
野呂田理恵子	女子美術大学 准教授
室野愛子	耳原総合病院 チーフアートディレクター、NPO 法人アーツプロジェクト 理事

参考資料

第4部の記述で参考にした文献やWEBサイトです(URLは2021年5月時点)。なお、第4部は『やってみよう!評価でひらく"社会包摂×文化芸術"ハンドブック』(九州大学大学院芸術工学研究院附属ソーシャルアートラボ、2021年)に基づいています。

■日本語文献

① 熊倉純子監修・編著、槇原彩著、源由理子・若林朋子特別寄稿(2020)『アートプロジェクトのピアレビュー 対話と支え合いの評価手法』水曜社

② 源由理子編著、大島巌編著、山谷清志監修(2020)『プログラム評価ハンドブック―社会課題解決に向けた評価方法の基礎・応用―』晃洋書房

③ ヴィジェイ・クーマー著(2015)『101デザインメソッド ― 革新的な製品・サービスを生む「アイデアの道具箱」』渡部典子翻訳、英治出版

■事業報告、WEBサイト

④ &Geidai
(http://ga.geidai.ac.jp/and-geidai/)

⑤ 取手アートプロジェクト
(https://toride-ap.gr.jp/)

⑥ アーツコミッション・ヨコハマ
(https://acy.yafjp.org/)

⑦ ヨコハマートライフ
(https://yokohamartlife.yafjp.org/)

⑧ 横浜市、公益財団法人芸術文化振興財団
「芸術創造特別支援事業リーディング・プログラム YokohamArtLife 報告書」
(https://yokohamartlife.yafjp.org/)

⑨ 東京文化会館 あらゆる人が音楽で交流できる社会をめざして Workshop Workshop!
2020 on stage & legacy
(https://www.t-bunka.jp/about/on_stage.html)

⑩ 東京文化会館「社会包摂につながるアート活動のためのガイドブック」
(https://www.t-bunka.jp/about/pdf/tbk_guidebook.pdf)

⑪ 東京文化会館「高齢者向け音楽ワークショップの検証［平成30年度］」
 (https://www.t-bunka.jp/stage/2973/)

⑫ 東京文化会館「高齢者向け音楽ワークショップの検証［平成31年度］」
 (https://www.t-bunka.jp/stage/5980/)

⑬ 東京文化会館 高齢者向け音楽ワークショップ 紹介映像
 (https://youtu.be/DkLqjIhqRks)

⑭ 東京文化会館「アートによる社会包摂的取組みに関する調査研究報告書」
 (https://www.t-bunka.jp/about/pdf/research.pdf)

⑮ 東京文化会館「アニュアル・レポート」
 (https://www.t-bunka.jp/pdf/annual_report.pdf)

⑯ 東京文化会館チャンネル
 (https://www.t-bunka.jp/info/5492/)

⑰ 可児市文化創造センターala
 (https://www.kpac.or.jp/ala/)

⑱ 可児市文化創造センターala「文化芸術創造性活用の効果検証調査業務報告書」
 (https://www.kpac.or.jp/data/report/sroi_houkoku2018.pdf)

⑲ 内閣府委託調査「社会的インパクト評価に関する調査研究最終報告書」
 (https://www.npo-homepage.go.jp/uploads/social-impact-hyouka-chousa-all.pdf)

⑳ アーツカウンシル東京（公益財団法人東京都歴史文化財団）「アートアーカイブの便利帖」
 (https://tarl.jp/library/output/2015/art_archive_benricho/)

㉑ NPO法人アートNPOリンク「実践編！アートの現場から生まれた評価」
 (http://arts-npo.org/img/artsnpodatabank/ANDB2018-19.pdf)

㉒ 福岡市「福岡市公民館つなぎの手帖」
 (https://www.city.fukuoka.lg.jp/shimin/kominkanshien/business/fukuokasi
 kouminkantunaginotechou.html)

WORK SHEET

ワークシートの活用法

文化事業を評価する見通しを立てるのに役立つ、書き込み式の
ワークシートを準備しました。文化事業に関わる多様な人たちと
一緒に対話しながらワークシートに取り組んでみましょう。すでに
事業をはじめている場合も、もう一度考え直すために活用しましょう。

最初から全部うめよう
としないでOK！

どのワークシートから
はじめてもかまいません！
（右ページ参照）

組織内外で対話をする
材料にしよう！

A3 に印刷したり、投影したりしてみんなで話そう！

⤓ DOWNLOAD

ワークシートはこちらからダウンロードできます。
プリントアウトしてご活用ください。

http://www.sal.design.kyushu-u.ac.jp/publications.html

ワークシートおすすめの使い方

● これから事業をはじめるとき

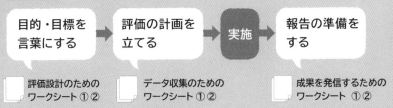

事業進行

| 目的・目標を言葉にする | → | 評価の計画を立てる | → | 実施 | | 報告の準備をする |

評価設計のための
ワークシート ①②

データ収集のための
ワークシート ①②

成果を発信するための
ワークシート ①②

● 事業が一段落つき、次年度の企画を立てたいとき

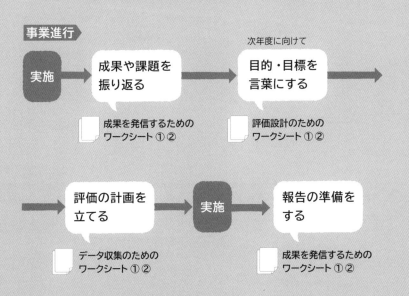

事業進行

実施 → 成果や課題を振り返る → 次年度に向けて 目的・目標を言葉にする →

成果を発信するための
ワークシート ①②

評価設計のための
ワークシート ①②

→ 評価の計画を立てる → 実施 → 報告の準備をする

データ収集のための
ワークシート ①②

成果を発信するための
ワークシート ①②

評価設計のためのワークシート ①

[参照] P.160-162

評価する対象となる文化事業タイトル:

目的・目標を明確にしよう

評価をするために、文化事業の目的・目標を言葉にしましょう。
「いきなりそんなことを言われても…」と思うかもしれませんが、いったん書いてみること
が大事です。

目的 文化事業を通じて目指したい、社会の変化は？

例）認知症の方の「その人らしさ」が尊重される社会になる

目標 文化事業を通じて今年達成したい、具体的内容は？（目標）

例）アート活動を通じて、その人らしさが出てくる状態が生まれる

どのルートにも
それぞれの
良さがあるね

どの標（目標）を通って
的（目的）に到達するか？

初心者にもやさしい
アドバイス付き！

目標 目標は、「芸術的価値」と「社会包摂的価値」が重なるところ（下図参照）に設定することが大事
です。評価に適した目標設定にするために、下記のことに気をつけてみましょう。

芸術的価値　　社会包摂的価値

社会包摂につながる芸術活動の価値

BEFORE 参加者がアートのおもしろさを理解する

評価のイメージがわきづらい

AFTER アートを通じて、参加者それぞれがおもしろい
と感じるポイントの違いを互いに理解する

CHECK! ☑ 「芸術活動によって直接変化が生まれること」にフォーカスして目標が設定
されていますか？

☑ 目標達成の手段や、達成されたときのイメージは具体的になっていますか？

評価設計のためのワークシート ②

[参照] 4-2 ／ 4-4

関係者を書き出そう

今回の事業を行うにあたって、関係者を書き出してみましょう。関係者を書き出すことで、誰とのコミュニケーションが足りていないか、今後どのようなコミュニケーションを取ればよいのかが見えてきます。

①関係者マップに、思い浮かぶ名前や団体名を書き出しましょう
②すでに話せている人は実線でつなぎましょう
③変化を測るうえで、もっと声を聞いたほうがいいなと思う人には★マークをつけましょう
④事業をやっている最中や振り返りで改善に向けて一緒に対話をしたい人に♥マークをつけましょう

[関係者マップ]

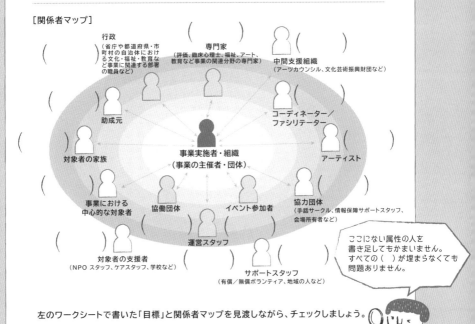

左のワークシートで書いた「目標」と関係者マップを見渡しながら、チェックしましょう。

CHECK!

☐ 目標を達成するために必要な関係性がそろっていますか？
　→事業の関係者たちと話しあってみましょう。

☐ 目標には、ここに書かれている人たちの主なニーズが反映されていますか？
　→できていなかったら目標をもう一度関係者と振り返ってみましょう。

データ収集のためのワークシート ①

［参照］4-3 ／ 4-4

どんな記録が必要か書き出してみよう

事業では、何を記録として残すか考えてみましょう。

●ふだん、事業を行う際に記録しているもの、記録できそうなものを丸で囲みましょう。

活動日誌	議事録	イベント記録	写真・動画	アンケート	インタビュー
広報媒体	メディア掲載	参加者や地域の人からの声		作品のアーカイブ	

そのほか（　　　　　　　　　　　　　　　　）

●記録しているもののうち、変化を知るために有効なデータを考え、メモしましょう。

> 例）・活動日誌やインタビューなどに出現するキーワードの頻度
> 　　・参加者や地域の人から聞かれた変化をあらわすユニークなエピソード

●新しく記録を取りたいと思うものは何ですか？

> 例）・写真だけではなくイベントのはじまる前や終了後の参加者の様子をふくめ、動画を撮る
> 　　・特に表情の変化に注目して写真を撮る
> 　　・参加者の作品をアーカイブする

けっこう使える記録が
手元にあった。
よかった…

記録する上で、活動団体だけで
できないものは専門家に依頼しましょう。

予算の確保もね！

データ収集のためのワークシート ②

［参照］4-3

いつ誰とどう記録を取るか計画を立てよう

いつ、誰とどのようにデータ収集を行うか、計画を立てましょう。
事業の流れに沿って具体的に考えてみましょう。

	組織の内部	関係者	参加者
事業実施前			
実施中			
実施直後			
その後			

4-3を参考にしながら書いてみましょう。

成果を発信するためのワークシート ①

[参照] 4-3 ／ 4-4

振り返ろう

（自分の団体以外の）誰と振り返るか、関係者マップを見返しましょう。
記録を参考にしながら事業を振り返りましょう。

● 実施前と比べて、どんな変化がありましたか？

> 例）認知症の方のその人らしさが、ワークショップの中ででてきて介護者も家族も驚いた。

● 参加者や関係者からの声で印象的だったことを書き出してみましょう。

● 社会や資金提供者へアピールしたいことは？

● 今後の改善ポイントは？

参加者からの言葉や、振り返りで
出てきたポイントを、アドボカシーや
新たな指標設定に生かすといいでしょう。

成果を発信するためのワークシート ②

［参照］P.80

報告のための下準備をしよう

報告書は、誰に向けて、何に焦点をあて、どういう流れで伝えるとよいか、話しあいましょう。

● どの媒体で報告しますか？丸で囲みましょう。

資金提供者への報告書	オリジナルの報告書（冊子）	WEBサイト
そのほか（ ）		

📄 媒体別にそれぞれこのワークシートをコピーや印刷して下記の質問を考えましょう。

● 誰に伝えたいですか？

例）参加したかったけどできなかった人、これから同じような活動しようとしている人

> 一番伝えたい人に
> 伝わることを
> 最優先しよう

● 何に焦点をあてて伝えますか？

例）参加者の変化、連携団体の広がり、予想しなかった成果など。

● 伝える上で工夫できることを書き出してみましょう。

例）報告冊子に、参加者の笑顔の写真を多めに載せる。

> WEBサイト等で報告がうまくできると、
> 広報や次の活動につながりますよ。

おわりに

　文化庁と九州大学の共同研究チームは、3年半の間に独自の調査を実施しながら、21回の研究会と非公式の数多くの打ち合わせを通じて、文化事業の評価に関する議論を重ねてきました。

　第1部については、「社会包摂」という超越的な視点から社会をとらえた概念、「芸術」という一般には専門的ととらえられる概念を、どのように実践現場の言葉に翻訳するか、また、すでに行われている実践をどのように言語化し、体系的に伝えるかに、多くの議論が費やされました。

　第2部については、本書の「はじめに」にある基本方針を定めること、評価の「方法」ではなく、評価に対する考え方や評価デザインといった「方法論」に焦点をあてることに注力しました。当初は、「現場の評価と行政の評価の接続」について検討を重ねていましたが（第3部）、あまりにも複雑になってしまうことから、現場の評価と行政とのコミュニケーションに留めることにしました。

　また、第4部については、事業の目標と評価の対象を柔軟に調整しながら、事業と評価を進めていくプロセスを可視化し、その流れを整理することに労力を割きました。ワークシートの作成、漫画やキャラクターの活用を通じて、流れをわかりやすく表現するようにも努めました。

　これらの議論を通じて痛感したのは、「評価は他人のためではなく、自分のためにするものだ」という当たり前のことでした。評価というと、テストの採点のように、「事後に先生がチェックする」という点が強調されがちですが、大切なのは、「チェックの結果を生かして、勉強方法を改善する」という部分だということです。実際調べていくと、評価と事業が一体的に行われているところは、評価も事業もうまくいっていますし、両者が切り離されているところは、どちらもうまくいっていません。自分のために評価をすることができれば、事業内容が良くなるので、結果的に社会的な評価も上がります。考えてみれば当然ですが、どうしてもこの点が忘れられがちです。

その理由は主に2つあります。1つは、評価に対する思い込みがあるからです（第2、4部）。もう1つは、行政などの資金提供者側の事業設計に問題があるからです（第3部）。補助・助成・委託などの事業設計も、文化事業の価値や可能性を深く理解した上で、かつ現実のニーズや状況を踏まえた上で丁寧に立案されなければなりません。また、評価を活用することで、より良い事業設計へと改善していく必要もあります。しかし、今回はこの部分に切り込むことはできませんでした。今後の課題です。

　なお、本研究の実施にあたっては、「文化庁と大学・研究機関等との共同研究事業」に加え、文化庁の「大学における文化芸術推進事業」、JSPS科研費「芸術文化活動が社会包摂へとつながるプロセス」（JP19K21614）も活用させていただきました。

　最後になりましたが、このような共同研究の場を設定し、お世話してくださった「文化庁と大学・研究機関等との共同研究事業」の歴代の担当者の方々、一緒に濃密な議論を重ねてきた共同研究チームの研究メンバーの皆さま（大澤寅雄さん、朝倉由希さん、宮田智史さん、長津結一郎さん、村谷つかささん）、編集や事務に凄腕を発揮してくださったNPO法人ドネルモの櫻井香那さん、渡邊めぐみさん、そして、いつも忍耐強く、素敵なデザインをしてくださった長末香織さんに、心より感謝を申し上げます。本書はまさに「共同研究」によって生み出されたチームワークの賜物です。書籍化にあたっては、今回も水曜社の仙道弘生社長に大変お世話になりました。ありがとうございました。

　本書を通じて、文化事業の評価に関する建設的な議論が広がり、意味のある評価活動、そして何よりも、より充実した芸術文化活動が行われるようになれば幸いに思います。

文化庁×九州大学 共同研究チーム 研究代表者
九州大学大学院芸術工学研究院 准教授
中村　美亜

文化庁×九州大学 共同研究チームのメンバー

・所属・役職は当該年度のものです。
・表記の年度は研究チーム参加期間です。

文化庁 地域文化創生本部 総括・政策研究グループ

朝倉由希	研究官	2017〜2020年度
才寺篤司	上席調査役	2020年度
青柴勝	調査役	2018〜2019年度
内村太一	専門官	2017年度
塩田英登	チーフ	2018年度
奥田晃美	チーフ	2019年度
白子なつ子	チーフ	2020年度
野中宏美	スタッフ	2017〜2018年度
永井麗子	スタッフ	2019年度

九州大学大学院芸術工学研究院附属ソーシャルアートラボ

中村美亜	准教授 [研究代表者、1-1, 2-1, 4-1, 4-3 執筆担当]	2017〜2020年度
長津結一郎	助教[1-2, 2-2, 4-2 執筆担当]	2017〜2020年度
村谷つかさ	学術研究員[1-4, 2-4, 4-4 執筆担当]	2017〜2020年度
南田明美	日本学術振興会 特別研究員（PD・九州大学大学院芸術工学研究院）[4-3 執筆担当]	2020年度
宮本聡	テクニカルスタッフ	2018年度
藤原旅人	テクニカルスタッフ	2019年度

アドバイザー

大澤寅雄	(株)ニッセイ基礎研究所 芸術文化プロジェクト室 主任研究員	2017〜2020年度

NPO法人ドネルモ

山内泰	代表理事	2017〜2018年度
宮田智史	事務局長[1-3, 2-3 執筆、編集担当]	2017〜2020年度
櫻井香那	スタッフ[1-3, 2-3, 4-3 執筆、編集担当]	2018〜2020年度
渡邊めぐみ	スタッフ[ワークシート設計、編集担当]	2020年度

文化庁×九州大学 共同研究チーム

2017〜2020年度にかけて、文化庁と九州大学が「文化庁と大学・研究機関等との共同研究事業」を実施するために結成した研究チーム(研究代表者:中村美亜)。チームは、文化庁(研究官・職員)、九州大学大学院芸術工学研究院附属ソーシャルアートラボ(教職員・アドバイザー)、NPO法人ドネルモ(職員)で構成された(研究チームのメンバーリストは238頁に掲載)。毎年独自の調査を実施し、研究会やシンポジウム等を開催しながら研究成果をまとめ、本書の基となる『社会包摂×文化芸術』ハンドブック(全3冊)を制作した。なお、九州大学大学院芸術工学研究院附属ソーシャルアートラボは、2021年4月より、新設された同研究院附属社会包摂デザイン・イニシアティブの内部組織へと移行。

SAL BOOKS ③

文化事業の評価ハンドブック──新たな価値を社会にひらく

発行日　2021年7月21日　初版第1刷

編　　　文化庁×九州大学 共同研究チーム(研究代表者 中村美亜)
発行人　仙道弘生
発行所　株式会社水曜社
　　　　〒160-0022　東京都新宿区新宿1-14-12
　　　　Tel 03-3351-8768　Fax 03-5362-7279
　　　　URL:suiyosha.hondana.jp
　　　　　　　　　　　　　　　　　　　　　　水曜社
印刷　　亜細亜印刷株式会社

執筆　　中村美亜、長津結一郎、村谷つかさ、南田明美、NPO法人ドネルモ
編集　　NPO法人ドネルモ
デザイン　長末香織

SAL BOOKS ①
ソーシャルアートラボ
地域と社会をひらく　　九州大学ソーシャルアートラボ 編　2,750 円

社会とアートの関わりをとらえなおす実験の場。研究者、アーティスト、実践家らが、試行錯誤や実践から、新たな知見を生み出すことを目指し、アートのあり方を再考する。

SAL BOOKS ②
アートマネジメントと社会包摂
アートの現場を社会にひらく　　九州大学ソーシャルアートラボ 編　2,970 円

「社会包摂」「アート」「アートマネジメント」などの用語を、実践現場の実感を伴った言葉で捉え直し、多様な文化事業にかかわった人々を通して多角的に考える。

SAL BOOKS ③
文化事業の評価ハンドブック
新たな価値を社会にひらく　　文化庁×九州大学 共同研究チーム 編　2,750 円

主に社会包摂に関する文化事業を例に、事業評価の導入、基礎と実践の過程を図版を交え解説。アートを学ぶ学生、ホール・劇場運営者、自治体の文化事業担当者必読。

はじまりのアートマネジメント
芸術経営の現場力を学び、未来を構想する
松本茂章 編
2,970 円

学芸員がミュージアムを変える！
公共文化施設の地域力
今村信隆・佐々木亨 編
2,750 円

芸術祭と地域づくり［改訂版］
"祭り"の受容から自発・協働による固有資源化へ
吉田隆之 著
2,970 円

障害者と表現活動
自己肯定と承認の場をはぐくむ
川井田祥子 著
2,420 円

基礎自治体の文化政策
まちにアートが必要なわけ
藤野一夫＋文化・芸術を活かしたまちづくり研究会 編著
2,970 円

全国の書店でお買い求めください。価格はすべて税込（10%）